Pas besoin d'être un cordon bleu confirmé pour réussir les recettes qui suivent. Il faut simplement avoir envie de cuisiner, pour soi, sa famille ou ses amis. Sortez de la routine, c'est le moment d'essayer des plats qui changent un peu et de combiner des saveurs nouvelles. Pas de soucis : la réussite est garantie puisque ces recettes sont déjà « passées trois fois à la casserole » avant de vous être proposées. Alors à vos fourneaux !

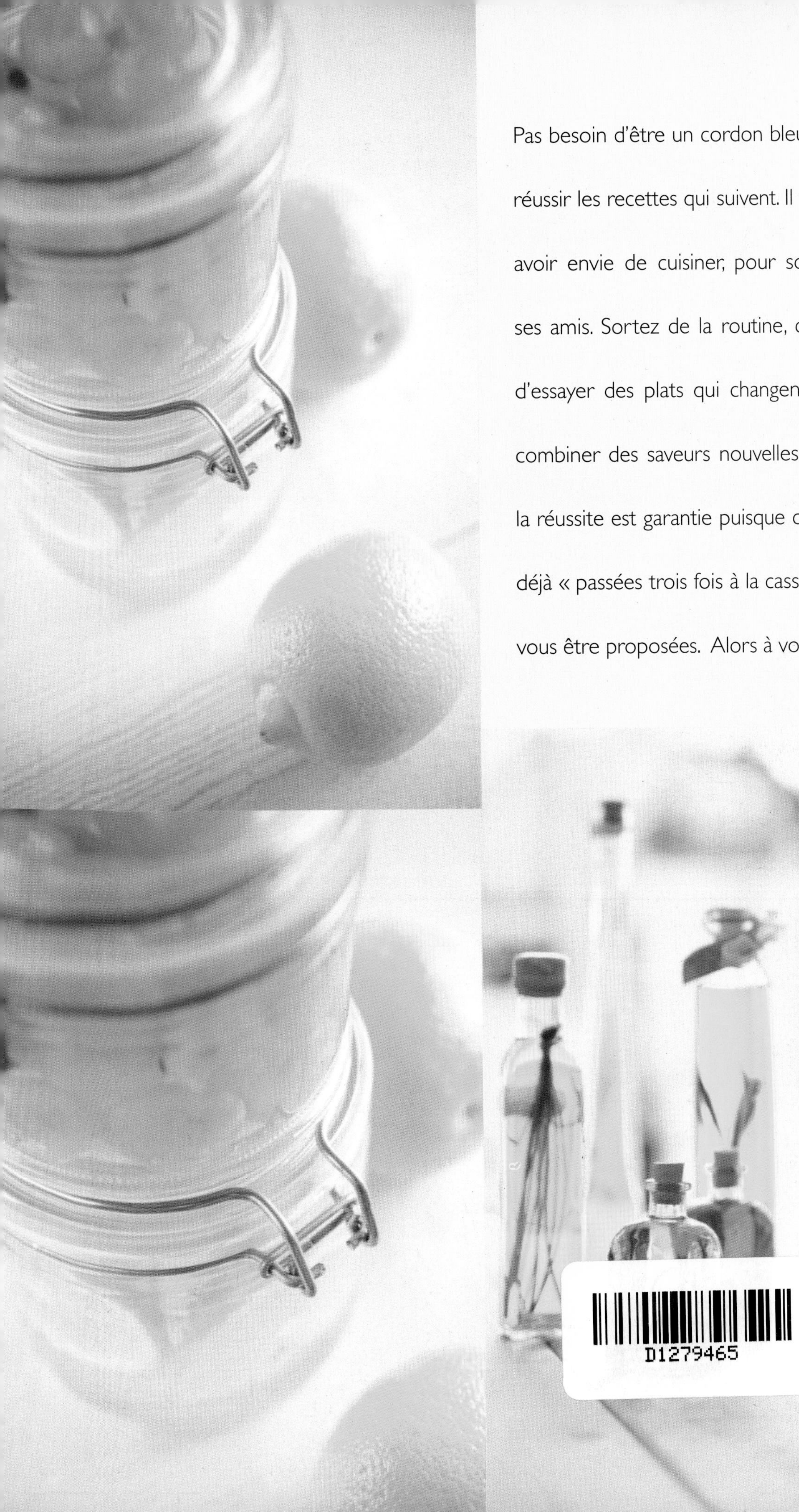

sommaire

Quoi de plus agréable que de se retrouver entre amis autour d'une table, pour un repas improvisé ou un dîner plus formel ? Et si ces moments doivent durer plusieurs jours, autant alléger en conséquence les préparatifs.

Voici une sélection de recettes appétissantes et toutes simples pour organiser des repas chaleureux, du petit déjeuner au dîner, sans trop vous casser la tête et en flattant généreusement la gourmandise de vos convives. La plupart d'entre elles peuvent se préparer soit très rapidement, soit un peu à l'avance, pour que la maîtresse de maison puisse elle aussi jouir du plaisir de s'asseoir à table et de n'en pas trop bouger…

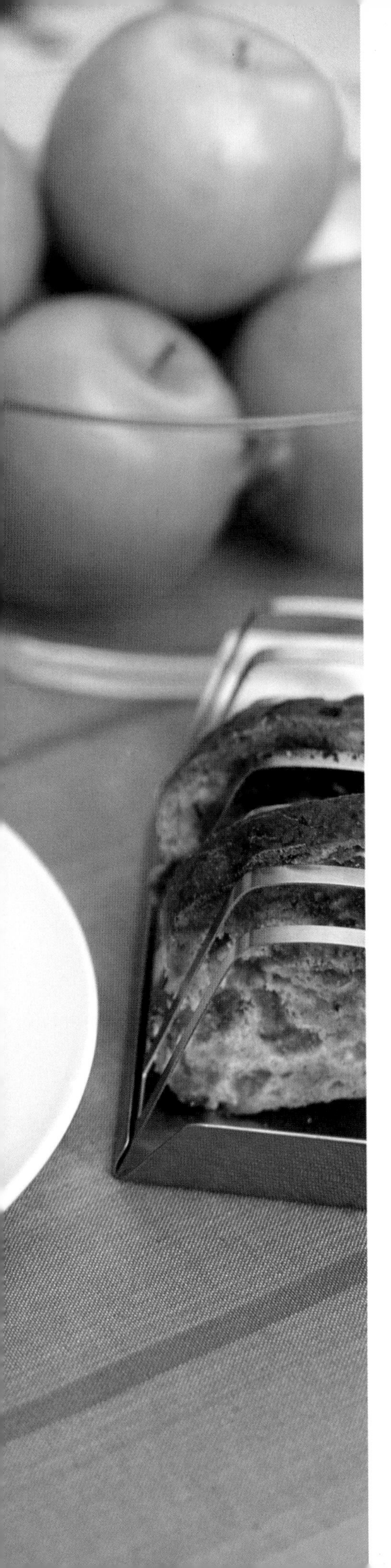

Les brunchs

Figues grillées à la ricotta et au gâteau de miel

Pour 8 personnes.

PRÉPARATION 5 MINUTES • CUISSON 10 MINUTES

Moulé dans de la cire d'abeille, le gâteau de miel est disponible dans les magasins diététiques et dans certains grands supermarchés.

8 figues, coupées en deux (environ 650 g)
1 c. s. de sucre roux
500 g de pain aux fruits
400 g de ricotta
150 g de gâteau de miel, coupés en tranches épaisses
2 c. s. de miel

1 Disposez les figues sur la plaque du four, face coupée vers le haut, et saupoudrez-les de sucre. Faites-les cuire 5 minutes sous le gril, jusqu'à ce que le sucre ait fondu et que les fruits soient légèrement dorés.
2 Découpez le pain en tranches de 1 cm d'épaisseur et faites-le griller.
3 Répartissez le pain grillé sur les assiettes. Déposez sur chaque tranche de pain un peu de *ricotta* et de gâteau au miel. Garnissez avec deux moitiés de figue, puis nappez de miel liquide.

Par portion lipides 6,8 g ; 1 118 kJ

Suggestion de présentation Servez avec une salade d'ananas, de pommes et d'oranges.

L'ASTUCE DU CHEF

Pour varier les plaisirs, utilisez un pain aux noix ou aux amandes.

Muffins à la polenta et au fromage

Pour 6 personnes.

PRÉPARATION 25 MINUTES • CUISSON 45 MINUTES

2 tranches de lard, finement hachées
225 g de farine avec levure incorporée
170 g de polenta
1/2 c. c. de bicarbonate de soude
1/2 c. c. de sel
1 c. s. de sucre en poudre
3 ciboules, hachées grossièrement
1/4 de tasse de persil plat frais, haché grossièrement
125 g de cheddar, râpé grossièrement
1 œuf
250 ml de babeurre

Coulis de tomates

5 petites tomates (650 g), hachées grossièrement
2 oignons moyens (300 g), hachés grossièrement
3 piments rouges, épépinés et finement hachés
4 gousses d'ail, hachées grossièrement
125 ml de vinaigre de malt
100 g de sucre roux
1 c. s. de concentré de tomates

1 Préparez le coulis de tomates (voir ci-dessous).
2 Préchauffez le four à température moyenne. Graissez 12 moules à muffins (80 ml).
3 Faites revenir le lard à sec dans une poêle antiadhésive préchauffée, en remuant sans cesse, jusqu'à ce qu'il soit croustillant. Égouttez sur du papier absorbant.
4 Mettez-le dans un grand saladier avec le reste des ingrédients. Mélangez jusqu'à obtention d'une préparation homogène. Versez la préparation dans les moules à muffins beurrés. Faites cuire 35 minutes à four moyen, sans couvrir. Servez les muffins accompagnés de coulis de tomates.

Coulis de tomates Mélangez tous les ingrédients dans une casserole de taille moyenne. Portez à ébullition, en remuant sans cesse, puis faites cuire 45 minutes à feu doux, sans couvrir, jusqu'à épaississement de la sauce. Passez le mélange au mixeur pour obtenir une purée lisse.

Par portion lipides 11,7 g ; 1 990 kJ

Suggestion de présentation Servez avec des œufs brouillés.

L'ASTUCE DU CHEF

Les muffins peuvent être préparés la veille et conservés au frais (vous pouvez aussi les conserver trois mois au congélateur). Au moment de servir, enveloppez-les dans une feuille d'aluminium et réchauffez-les rapidement à four moyen. Le coulis de tomates peut être préparé trois jours à l'avance et conservé au réfrigérateur.

Omelette de pommes de terre au chorizo et au basilic

Pour 8 personnes.

PRÉPARATION 10 MINUTES • CUISSON 45 MINUTES

2 pommes de terre moyennes (400 g), coupées en deux

250 g de chorizo, finement haché

6 œufs, légèrement battus

125 ml de crème fraîche

3 ciboules, hachées grossièrement

2 c. c. de feuilles de basilic frais, finement hachées

1 Préchauffez le four à température moyenne.
2 Graissez un moule à gâteau d'un diamètre de 20 cm et tapissez-le avec une feuille de papier sulfurisé, en recouvrant bien les bords.
3 Faites cuire les pommes de terre à l'eau, à la vapeur ou au four à micro-ondes. Égouttez et laissez refroidir, puis coupez-les en fines tranches.
4 Faites préchauffer une petite poêle antiadhésive et faites revenir le chorizo, en remuant sans cesse, jusqu'à ce qu'il soit doré sur toutes les faces. Égouttez sur un papier absorbant.
5 Disposez la moitié des pommes de terre au fond du moule, puis recouvrez-les avec la moitié du chorizo. Renouvelez l'opération avec le reste de pommes de terre et le reste de chorizo. Dans un grand bol, mélangez les œufs, la crème, les ciboules et le basilic, battez le tout et versez sur le mélange pommes de terre-chorizo. Faites cuire 30 minutes à four moyen, sans couvrir, jusqu'à ce que l'omelette soit ferme et légèrement dorée.

Par portion lipides 20 g ; 1 127 kJ

Suggestion de présentation
Servez accompagné de tomates grillées au four.

L'ASTUCE DU CHEF

Vous pouvez faire cuire l'omelette dans une poêle profonde, légèrement huilée. Faites-la cuire à feu doux, jusqu'à ce qu'elle soit presque ferme, puis faites-la dorer sous le gril du four.

Œufs à la Benedict

Pour 8 personnes.

PRÉPARATION 20 MINUTES • CUISSON 30 MINUTES

Cette recette originale (muffins coupés en deux et grillés, œufs pochés coulants, lard croustillant et sauce hollandaise citronnée) date des années 1920 et fut inventée par le chef du Delmonico's, un des grands restaurants de Manhattan au début du siècle, pour satisfaire un certain Monsieur Benedict, financier de Wall Street, qui reprochait au menu de l'établissement de manquer de fantaisie.

8 œufs
8 muffins
200 g de jambon en tranches très fines

Sauce hollandaise

60 ml de vinaigre au vin blanc
3 grains de poivre
1 feuille de laurier
2 jaunes d'œufs
125 g de beurre, fondu
1 c. c. de jus de citron

1. Faites pocher les œufs dans une grande poêle d'eau frémissante, sans couvrir. Égouttez sur du papier absorbant.
2. Pendant ce temps, découpez les muffins en deux et faites-les griller jusqu'à ce qu'ils soient croustillants et légèrement dorés.
3. Disposez deux moitiés de muffin sur chaque assiette, ajoutez une tranche de jambon sur chaque moitié de muffin. Déposez un œuf sur le dessus et nappez de sauce hollandaise.

Sauce hollandaise Mettez le vinaigre, les grains de poivre et la feuille de laurier dans une petite casserole. Portez à ébullition, puis laissez cuire à feu doux, sans couvrir, jusqu'à ce que le liquide ait réduit de moitié. Filtrez-le dans un bol et laissez refroidir. Mixez les jaunes d'œufs, puis incorporez progressivement, sans cesser de faire tourner le moteur, 1 cuillerée à café de beurre fondu (encore chaud et bouillonnant), puis, quand la sauce commence à épaissir, ajoutez 2 cuillerées à café de vinaigre, puis de nouveau 2 cuillerées à café de beurre fondu, jusqu'à épuisement des ingrédients. Pour finir, versez le jus de citron et mélangez délicatement.

Par portion lipides 21,3 g ; 1 527 kJ

Suggestion de présentation Vous pouvez remplacer le jambon par des jeunes pousses d'épinards (œufs à la florentine). Cette recette se déguste avec des pommes de terre sautées et un mimosa (champagne et jus d'orange frais).

L'ASTUCE DU CHEF

Si la sauce hollandaise tourne, ajoutez progressivement 2 cuillerées à soupe d'eau bouillante.

Muesli

Pour 6 personnes.

PRÉPARATION 15 MINUTES

À la fin du XIX*e siècle, un nutritionniste suisse, le docteur Bircher-Benner, élabora pour ses patients un petit déjeuner à base de céréales. Sa recette a fait le tour du monde et on trouve désormais des mélanges tout prêts dans le commerce.*

270 g de flocons d'avoine
500 ml de jus d'orange frais
400 g de yaourt
160 g de dattes séchées, épépinées, coupées en gros dés
85 g de raisins secs
150 g d'abricots secs, coupés en fines tranches
80 ml de miel
250 ml de lait
1 grosse pomme (200 g), pelée et râpée grossièrement
45 g d'amandes effilées et grillées

1 Mélangez l'avoine, le jus d'orange et le yaourt dans un grand saladier. Couvrez hermétiquement et réservez au frais toute une nuit.
2 Ajoutez dans le saladier les dattes, les raisins secs, les abricots, le miel, le lait et la pomme. Couvrez et réservez 30 minutes au réfrigérateur.
3 Servez le muesli dans des bols individuels. Garnissez d'amandes.

Par portion lipides 12,6 g ; 2 000 kJ

Suggestion de présentation Accompagnez d'un mélange de fruits rouges frais.

L'ASTUCE DU CHEF

Pour cette recette, choisissez de préférence un yaourt entier et onctueux, comme le yaourt à la grecque.

Saumon fumé, crêpes au sarrasin et crème fraîche aux herbes

Pour 6 personnes.

PRÉPARATION 20 MINUTES • CUISSON 15 MINUTES

75 g de farine de sarrasin
110 g de farine avec levure incorporée
1 c. s. de sucre en poudre
1/4 c. c. de bicarbonate de soude
1 œuf, légèrement battu
250 ml de lait
200 g de pousses d'épinards
400 g de saumon fumé, coupé en tranches

Crème fraîche aux herbes

200 g de crème fraîche épaisse
1 c. s. de ciboulette fraîche, finement hachée
1 c. s. d'aneth frais haché
1 ciboule, finement hachée
1 c. s. de câpres, égouttées et finement hachées

1 Tamisez les farines, le sucre et le bicarbonate de soude dans un grand saladier. Mélangez l'œuf et le lait et versez sur la farine, en remuant bien, jusqu'à obtention d'une pâte homogène. Couvrez et réservez au frais pendant 30 minutes.

2 Versez 2 cuillerées à soupe de pâte dans une poêle antiadhésive préchauffée. Faites cuire les crêpes en plusieurs fois, en les faisant bien dorer sur les deux faces.

3 Faites cuire les épinards à l'eau, à la vapeur ou au four à micro-ondes, jusqu'à ce qu'ils soient tendres. Égouttez-les bien.

4 Garnissez les crêpes de saumon, de crème fraîche et d'épinards.

Crème fraîche aux herbes Mélangez tous les ingrédients dans un petit bol.

Par portion lipides 12,9 g ; 1 319 kJ

Les astuces du chef

Vous pouvez remplacer la crème fraîche épaisse par de la crème aigre.

La sauce aux herbes peut être préparée la veille et conservée au frais.

La pâte à crêpes peut être préparée la veille et conservée au frais.

Les amuse-gueules

Samosas aux légumes

Pour 54 beignets.

PRÉPARATION 1 HEURE • CUISSON 50 MINUTES

Les samosas sont des beignets indiens savoureux, farcis avec des légumes, de la viande ou un mélange des deux.

1 pomme de terre moyenne (200 g), coupée en gros dés
1 patate douce moyenne (400 g), coupée en gros dés
125 g de petits pois congelés
20 g de beurre clarifié
1 oignon moyen (150 g), finement haché
1 gousse d'ail, écrasée
2 c. c. de gingembre frais, râpé
1 c. c. de cumin moulu
1/2 c. c. de coriandre moulue
1/4 de c. c. de garam masala
6 feuilles de pâte feuilletée fine
huile végétale pour la friture

Raïta

1 petit concombre (130 g), épépiné et coupé en gros dés
1 c. s. de feuilles de menthe fraîche, hachées grossièrement
200 g de yaourt
1 gousse d'ail, coupée en quatre
1 c. s. de jus de citron

1. Faites cuire séparément la pomme de terre, la patate douce et les petits pois à l'eau, à la vapeur ou au four à micro-ondes jusqu'à ce qu'ils soient tendres. Égouttez-les.
2. Pendant ce temps, faites fondre le beurre clarifié dans une poêle moyenne. Faites revenir l'oignon, l'ail et le gingembre, en remuant sans cesse, jusqu'à ce que l'oignon soit tendre. Ajoutez les épices et faites-les revenir, en remuant toujours, jusqu'à ce que le mélange embaume.
3. Écrasez la pomme de terre et la patate douce dans un grand saladier jusqu'à obtention d'une purée presque homogène. Ajoutez les petits pois et les oignons. Mélangez délicatement le tout.
4. À l'aide d'un couteau pointu, découpez 9 ronds dans chaque feuille de pâte. Déposez au milieu de chaque rond 1 cuillerée à café de farce. Relevez les bords pour sceller la pâte.
5. Faites chauffer l'huile dans un wok ou une grande poêle et faites frire les beignets en plusieurs fois, puis égouttez-les sur du papier absorbant. Servez accompagné de raïta.

Raïta Mixez délicatement tous les ingrédients.

Par portion lipides 2,6 g ; 173 kJ

Wontons aux crevettes, sauce aux piments doux

Pour 40 wontons.

PRÉPARATION 45 MINUTES • CUISSON 20 MINUTES

1 kg de crevettes crues moyennes

3 ciboules, hachées grossièrement

1 c. s. de gingembre frais, râpé

1 gousse d'ail, coupée en quatre

1 c. s. de jus de citron vert

1 c. s. de feuilles de menthe fraîche, finement hachées

1 c. s. de feuilles de basilic frais, finement hachées

40 feuilles de pâte à wonton

1 œuf, légèrement battu

125 ml de sauce aux piments doux

1 Décortiquez et nettoyez les crevettes.

2 Mixez les crevettes, l'oignon, le gingembre, l'ail et le jus de citron vert jusqu'à obtention d'une pâte homogène. Ajoutez la menthe et le basilic, puis mélangez bien.

3 Déposez au milieu de chaque feuille de wonton 1 cuillerée à café de farce. À l'aide d'un pinceau, enduisez les bords d'œuf, puis relevez-les et pressez pour sceller la pâte.

4 Dans une corbeille en bambou, disposez, en plusieurs fois, une rangée de wontons. Faites-les cuire 10 minutes à couvert, au-dessus d'une casserole d'eau bouillante, jusqu'à ce qu'ils soient bien cuits.

5 Servez les wontons accompagnés de sauce aux piments doux.

Par portion lipides 0,3 g ; 103 kJ

Suggestion de présentation
Servez les wontons dans la corbeille en bambou ou bien présentez chaque wonton sur une cuillère en porcelaine et présentez-les sur un plateau à vos invités, accompagnés de petites coupelles de sauce aux piments doux.

Les astuces du chef

Vous pouvez faire frire les wontons dans de l'huile végétale.

Les wontons crus peuvent se conserver trois mois au congélateur. Il n'est pas nécessaire de les décongeler pour les faire cuire.

Dip à la betterave

Pour 2 bols (585 g).

PRÉPARATION 10 MINUTES • CUISSON 45 MINUTES

3 betteraves crues de taille moyenne (500 g), pelées
1 gousse d'ail, écrasée
200 g de yaourt
1 c. c. de cumin moulu
2 c. c. de jus de citron

1 Faites cuire les betteraves 45 minutes dans une grande casserole d'eau bouillante, sans couvrir, jusqu'à ce qu'elles soient tendres. Égouttez et laissez tiédir 5 minutes. Épluchez-les quand elles sont encore chaudes, puis coupez-les en gros dés.
2 Mixez les betteraves avec l'ail, le yaourt, le cumin et le jus de citron, jusqu'à obtention d'un mélange homogène.

Par portion lipides 0,3 g ; 63 kJ

Suggestion de présentation Servez avec des crackers, des légumes crus en bâtonnets (carottes, céleri, concombre…) ou du pain grillé.

Dip à la feta

Pour 2 bols (385 g).

PRÉPARATION 10 MINUTES

200 g de feta
150 g de ricotta
2 c. c. de jus de citron
2 c. c. d'huile d'olive
1 gousse d'ail, coupée en quatre

1 Émiettez la feta dans un grand saladier. Ajoutez le reste des ingrédients et mélangez. Passez la préparation au mixeur jusqu'à obtention d'un mélange homogène.

Par portion lipides 4,8 g ; 225 kJ

Suggestion de présentation Servez accompagné de bruschetta (pain grillé aux tomates et à l'ail) ou de pousses d'épinard crues.

Les astuces du chef

S'il vous reste un peu de dip, mélangez-le avec une purée de pommes de terre maison.

Vous pouvez ajouter à la préparation 1 cuillerée à soupe d'origan frais finement haché ou de menthe fraîche finement hachée.

Cette recette peut être préparée deux jours à l'avance et conservée au frais, à couvert.

Ailes de poulet

Voici trois manières d'apprêter des ailes de poulet, à servir en apéritif ou pour un déjeuner léger, avec une salade verte.

Ailes de poulet teriyaki

Pour 48 pièces.

PRÉPARATION 20 MINUTES
CUISSON 40 MINUTES

24 ailes de poulet (environ 2 kg)
180 ml de sauce teriyaki
2 c. s. d'huile d'arachide
2 c. c. de gingembre frais, râpé
2 gousses d'ail, écrasées
1 piment rouge, épépiné et finement haché
1 c. s. de sucre roux
1 c. c. d'huile de sésame
1/2 c. c. de cinq-épices moulu
1 c. s. de graines de sésame, grillées

1. Coupez les ailes de poulet en trois au niveau des articulations et jetez les extrémités.
2. Mélangez la sauce teriyaki, l'huile d'arachide, le gingembre, l'ail, le piment, le sucre, l'huile de sésame et le cinq-épices dans une grande terrine. Ajoutez les ailes de poulet et remuez bien. Couvrez et réservez au frais 3 heures ou toute une nuit.
3. Préchauffez le four à température élevée. Égouttez le poulet et réservez la marinade. Disposez le poulet sur la grille du four, placée au-dessus d'une lèchefrite. Faites-les rôtir 40 minutes à four chaud, jusqu'à ce que les ailes soient dorées et bien cuites. Retournez-les une fois en cours de cuisson.
4. Servez les ailes de poulet saupoudrées de graines de sésame.

Par portion lipides 4,6 g ; 268 kJ

Ailes de poulet glacées au miel

Pour 48 pièces.

PRÉPARATION 15 MINUTES
CUISSON 40 MINUTES

24 ailes de poulet (environ 2 kg)
80 ml de miel
2 c. s. de pâte de curry vindaloo
80 ml de sauce de soja
2 c. s. d'huile d'arachide

1. Coupez les ailes de poulet en trois au niveau des articulations et jetez les extrémités.
2. Mélangez le reste des ingrédients avec la viande dans un grand saladier. Remuez bien. Couvrez et réservez au frais 3 heures ou toute une nuit.
3. Préchauffez le four à température élevée. Disposez les morceaux de poulet non égouttés sur la grille du four, au-dessus d'une lèchefrite. Faites rôtir 40 minutes à four chaud, sans couvrir, jusqu'à ce que les ailes soient dorées et bien cuites. Retournez-les une fois en cours de cuisson.

Par portion lipides 4,5 g ; 285 kJ

Les astuces du chef

Les extrémités des ailes peuvent servir à la préparation d'un bouillon.

Vous pouvez congeler le poulet mariné (six mois maximum) et le faire cuire plus tard.

Ailes de poulet masala

Pour 48 pièces.

PRÉPARATION 15 MINUTES
+ 3 HEURES OU PLUS POUR LA MARINADE
CUISSON 45 MINUTES

24 ailes de poulet (environ 2 kg)
1 c. s. de cumin moulu
2 c. s. de coriandre moulue
1 c. c. de curcuma moulu
1/2 c. c. de piment rouge en poudre
2 c. c. de garam masala
1 c. c. de zeste de citron finement râpé
2 c. s. de jus de citron
60 ml d'huile d'arachide

1. Coupez les ailes de poulet en trois au niveau des articulations et jetez les extrémités.
2. Faites chauffer une poêle de taille moyenne, puis faites revenir les épices à sec, en remuant sans cesse, jusqu'à ce que le mélange embaume.
3. Dans un grand saladier, mélangez les épices, le zeste de citron, le jus de citron et l'huile.
4. Ajoutez les ailes de poulet et mélangez bien. Couvrez et réservez au frais 3 heures ou toute une nuit.
5. Préchauffez le four à température élevée. Disposez les ailes de poulet sur la grille du four, au-dessus d'une lèchefrite. Faites rôtir pendant 40 minutes à four chaud, jusqu'à ce que les ailes soient dorées et bien cuites. Retournez-les une fois en cours de cuisson.

Par portion lipides 4,8 g ; 268 kJ

Crêpes à la pékinoise

Pour 33 crêpes.

PRÉPARATION 1 HEURE • CUISSON 30 MINUTES

Les canards rôtis à la pékinoise s'achètent tout prêt dans les épiceries asiatiques.

150 g de farine
1/2 c. c. de sel
1 œuf, légèrement battu
500 ml de lait
200 g de ciboulette
1 canard rôti à la pékinoise
2 c. s. de sauce hoisin
2 c. s. de sauce aux prunes
2 mini-concombres (260 g), épépinés, coupés en allumettes de 4 cm de long

1 Mélangez la farine et le sel dans un saladier, puis versez progressivement l'œuf et le lait battus ensemble. Fouettez le tout jusqu'à obtention d'une pâte homogène, puis filtrez-la dans un grand bol.

2 Hachez une pleine tasse de ciboulette et ajoutez-la à la pâte. Mélangez bien. Couvrez et réservez 1 heure au frais.

3 Pendant ce temps, désossez le canard. Réservez les os. Retirez toute la graisse visible, puis émincez finement la viande avec la peau.

4 Faites chauffer une poêle antiadhésive, puis versez l'équivalent d'un quart de tasse de pâte dedans. Faites cuire la crêpe jusqu'à ce qu'elle soit légèrement dorée des deux côtés. Procédez de même avec le reste de la pâte jusqu'à obtenir 11 crêpes.

5 À l'aide d'un couteau pointu, découpez trois ronds dans chaque crêpe. Étalez sur chaque crêpe une quantité égale de chaque sauce. Garnissez avec le canard et le concombre.

6 Mettez le reste de ciboulette dans un plat résistant à la chaleur et recouvrez d'eau bouillante. Laissez reposer jusqu'à ce qu'elle soit cuite, puis égouttez. Garnissez-en le bord des crêpes, puis roulez les crêpes en enfermant bien la farce. Fermez chaque rouleau avec une tige de ciboulette, faites un petit nœud et coupez les extrémités des tiges.

Par portion lipides 4,4 g ; 310 kJ

Avec un emporte-pièce, découpez trois ronds dans chaque crêpe.

Garnissez chaque crêpe de viande et de concombre, en quantités égales.

Repliez les bords de la crêpe autour de la farce de manière à former des petits rouleaux.

L'ASTUCE DU CHEF

Les crêpes non garnies peuvent être conservées jusqu'à trois mois au congélateur. Glissez entre chaque crêpe une feuille de papier sulfurisé pour éviter qu'elles ne collent entre elles.

Assortiment de sushis

Ces sushis sont faciles à préparer. Commencez par faire cuire le riz. Pendant qu'il refroidit, préparez les ingrédients de façon à pouvoir confectionner les quatre sortes de sushis en même temps. Avec les sushis, présentez dans de petites coupelles un peu de sauce de soja, du gingembre mariné émincé et du wasabi. Vous trouverez tous les ingrédients de cette recette dans les épiceries asiatiques.

Préparation du riz

PRÉPARATION 5 MINUTES • CUISSON 15 MINUTES

300 g de riz rond
60 ml de vinaigre de riz
1 c. c. de sel
1 1/2 c. s. de sucre
1 1/2 c. s. de mirin

Versez le riz dans une grande casserole d'eau bouillante. Laissez cuire à gros bouillons, sans couvrir, jusqu'à ce qu'il soit juste tendre. Égouttez et laissez reposer 5 minutes. Dans un petit bol, mélangez le vinaigre, le sel, le sucre et le mirin, puis versez le tout sur le riz tiède et mélangez bien. Laissez refroidir.

Divisez le riz en quatre parts égales. Préparez ensuite les ingrédients dont vous aurez besoin pour les différents sushis :

1 mini-concombre (130 g), coupé en deux, épépiné, puis détaillé en lanières de 1 cm de long
1 petite carotte (70 g), découpée en allumettes de 1 cm de long
1 petit avocat (200 g), découpé en tranches de 1 cm de long

Sushis au saumon fumé

Pour 8 sushis.

PRÉPARATION 10 MINUTES

Le wasabi est une variété de raifort asiatique, de couleur verte, qui sert à préparer une sauce très forte, traditionnellement servie au Japon avec les poissons crus.

1 feuille de nori (algue) grillée
1 portion de riz cuit (voir page 20)
1/4 c. c. de wasabi
1 tranche de saumon fumé (15 g), coupée en deux
2 tranches d'avocat
1 c. c. d'aneth frais, haché grossièrement

1. Sur un set en bambou humide, étalez la feuille de nori, côté rugueux vers le haut. Passez vos mains sous l'eau, puis garnissez de riz la feuille de nori, en vous arrêtant à 4 cm du bord supérieur. Tassez fermement le riz. Avec un doigt, creusez une entaille tout le long du bord inférieur.
2. Dans cette entaille, déposez le wasabi, le saumon, l'avocat et l'aneth. Roulez la feuille de nori en partant du bord inférieur (le wasabi, le saumon, l'avocat et l'aneth doivent se trouver au cœur du rouleau). Retirez délicatement le rouleau du set et déposez-le sur une planche à découper. À l'aide d'un couteau tranchant préalablement mouillé, découpez-le en 8 pièces.

Par portion lipides 0,8 g ; 117 kJ

Étalez le riz refroidi sur la feuille de nori en le pressant fermement.

Avec un doigt, creusez une entaille dans le riz.

Disposez les ingrédients de la farce dans l'entaille.

Soulevez délicatement le set et roulez la feuille de nori farcie en pressant fermement.

Sushis végétariens

Pour 8 sushis.

PRÉPARATION 10 MINUTES • CUISSON 5 MINUTES

Le daikon est un long radis blanc, au goût subtil et doux, qui se mange aussi bien frit que cru, en salade. Détaillé en rondelles et mariné dans une sauce de soja douce, il accompagne très souvent les plats de poisson. Dans les épiceries asiatiques, vous trouverez des daikons entiers marinés.

2 c. c. d'huile d'arachide
1 œuf, légèrement battu
1 grand champignon shiitake déshydraté
1 feuille de nori (algue) grillée
1 portion de riz cuit (voir page 20)
1/4 de c. c. de wasabi
2 lanières de concombre
2 c. c. de gingembre, mariné et émincé
40 g de daikon, mariné et finement émincé

1 Faites chauffer l'huile dans une poêle et faites cuire l'œuf de manière à former une omelette fine et bien ferme. Laissez refroidir sur une assiette, puis roulez-la en serrant fermement. Découpez-la en tranches fines.
2 Mettez le champignon dans un bol résistant à la chaleur et recouvrez-le d'eau bouillante. Laissez reposer jusqu'à ce qu'il soit tendre, puis égouttez-le. Retirez la tige et coupez la tête en très fines lamelles.
3 Sur un set en bambou humide, étalez la feuille de nori, côté rugueux vers le haut. Passez vos mains sous l'eau, puis garnissez de riz la feuille de nori, en vous arrêtant à 4 cm du bord supérieur. Tassez fermement le riz. Avec un doigt, creusez une entaille tout le long du bord inférieur.
4 Dans cette entaille, déposez l'omelette en tranches et les lamelles de champignons wasabi, le saumon, l'avocat et l'aneth. Roulez la feuille de nori en partant du bord inférieur (l'omelette et le champignon doivent se trouver au cœur du rouleau). Retirez délicatement le rouleau du set et déposez-le sur une planche à découper. À l'aide d'un couteau tranchant préalablement mouillé, découpez-le en 8 pièces.

Par portion lipides 2 g ; 172 kJ

Sushis au poulet teriyaki

Pour 8 sushis.

PRÉPARATION 10 MINUTES

Pour cette recette, vous pouvez faire pocher un blanc de poulet ou utiliser un peu de la chair d'un poulet rôti.

40 g de poulet cuit, coupé en fines lanières
1 c. c. de sauce teriyaki
1 champignon shiitake déshydraté
1 feuille de nori grillée
1 portion de riz cuit (voir page 20)
1/4 de c. c. de wasabi
2 lanières de concombre
2 allumettes de carotte

1 Mélangez le poulet et la sauce dans un petit saladier.
2 Mettez le champignon dans un bol résistant à la chaleur et recouvrez-le d'eau bouillante. Laissez reposer jusqu'à ce qu'il soit tendre, puis égouttez-le. Retirez la tige et coupez la tête en très fines lamelles.
3 Sur un set en bambou humide, étalez la feuille de nori, côté rugueux vers le haut. Passez vos mains sous l'eau, puis garnissez de riz la feuille de nori, en vous arrêtant à 4 cm du bord supérieur. Tassez fermement le riz. Avec un doigt, creusez une entaille tout le long du bord inférieur.
4 Dans cette entaille, déposez le wasabi, le poulet, le champignon, le concombre et la carotte. Roulez la feuille de nori en partant du bord inférieur (le poulet et les petits légumes doivent se trouver au cœur du rouleau). Retirez délicatement le rouleau du set et déposez-le sur une planche à découper. À l'aide d'un couteau tranchant préalablement mouillé, découpez-le en 8 pièces.

Par portion lipides 0,3 g ; 120 kJ

Sushis californien

Pour 8 sushis.

PRÉPARATION 10 MINUTES

1 c. c. de mayonnaise
1/4 de c. c. de wasabi
1 feuille de nori grillée
1/4 de portion de riz cuit (voir page 20)
1 rouleau de crabe, coupé en deux dans le sens de la longueur
2 tranches d'avocat
1 allumette de carotte
2 lanières de concombre

1 Mélangez la mayonnaise et le wasabi dans un petit bol.
2 Sur un set en bambou humide, étalez la feuille de nori, côté rugueux vers le haut. Passez vos mains sous l'eau, puis garnissez de riz la feuille de nori, en vous arrêtant à 4 cm du bord supérieur. Tassez fermement le riz. Avec un doigt, creusez une entaille tout le long du bord inférieur.
3 Dans cette entaille, déposez le mélange mayonnaise-wasabi, le crabe, l'avocat, la carotte et le concombre. Roulez la feuille de nori en partant du bord inférieur (le crabe et les légumes doivent se trouver au cœur du rouleau). Retirez délicatement le rouleau du set et déposez-le sur une planche à découper. À l'aide d'un couteau tranchant préalablement mouillé, découpez-le en 8 pièces.

Par portion lipides 0,9 g ; 129 kJ

Les hors-d'œuvre

Légumes sautés à la sauce tomate aigre-douce

Pour 6 personnes.

PRÉPARATION 20 MINUTES • CUISSON 1 HEURE

Pour cette recette, vous avez besoin d'environ 1,5 kg de betteraves crues non pelées.

5 betteraves moyennes, sans les feuilles (825 g)
4 grandes tomates olivettes (360 g), coupées en deux
huile de friture
2 aubergines moyennes (600 g)
1 c. s. de sel
6 bolets moyens (600 g)
60 ml d'huile d'olive
2 c. s. de vinaigre au vin blanc
1 c. c. de sel, supplémentaire
300 g de feta, émiettée
1/2 tasse de feuilles de basilic frais

1 Préchauffez le four sur une température élevée.
2 Emballez chaque betterave dans une feuille d'aluminium. Déposez-les sur une plaque à four et faites-les cuire 50 minutes à un four chaud, jusqu'à ce qu'elles soient tendres. Laissez refroidir 5 minutes. Pelez les betteraves encore chaudes et coupez-les en tranches de 1 cm.
3 Pendant ce temps, déposez les moitiés de tomate sur la plaque du four légèrement huiulée et arrosez de petits filets d'huile. Faites-les cuire 40 minutes à un four chaud, jusqu'à ce qu'elles soient légèrement dorées.
4 Coupez les aubergines en rondelles de 1 cm et déposez-les dans une passoire. Saupoudrez de sel et laissez reposer 30 minutes. Rincez les aubergines sous l'eau froide et égouttez-les sur un papier absorbant.
5 Faites cuire les aubergines et les champignons, en plusieurs fois, dans une poêle chaude légèrement huilée, jusqu'à ce qu'ils soient dorés des deux côtés.
6 Mixez les tomates avec l'huile, le vinaigre et le reste de sel pour obtenir une purée. Filtrez la sauce à travers un moulin à légumes ou une fine passoire dans un grand saladier. Réservez la pulpe.
7 Disposez les légumes sur les assiettes (voir illustration ci-contre), décorez de feta et de basilic et nappez de sauce.

Par portion lipides 22,5 g ; 1 549 kJ

Suggestion de présentation Servez en hors-d'œuvre et faites suivre de viande grillée accompagnée de salade verte.

L'ASTUCE DU CHEF

La sauce peut être préparée la veille et conservée au frais.

Salade de roquette et de kumaras grillés

Pour 6 personnes.

PRÉPARATION 15 MINUTES • CUISSON 35 MINUTES

Le kumara est une patate douce à chair orangée (en vente dans les magasins de produits exotiques).

2 kumaras (patate douce) moyens (800 g)
huile de friture
2 c. s. d'huile de noix
1 c. c. d'huile de sésame
2 c. s. de vinaigre au vin blanc
2 c. s. de sucre
2 c. c. de moutarde de Dijon
1 c. s. de graines de sésame blanc, grillées
150 g de feuilles de roquette

1 Préchauffez le four à température élevée. Coupez les kumaras en gros dés.
2 Disposez les kumaras sur la plaque à four et arrosez-les de petits filets d'huile. Faites-les cuire 35 minutes à un four chaud, sans couvrir, jusqu'à ce qu'ils soient tendres et légèrement dorés.
3 Mélangez l'huile de sésame, l'huile de noix, le vinaigre, le sucre et la moutarde dans un pot muni d'un couvercle hermétique. Agitez vigoureusement.
4 Dans un grand saladier, mélangez délicatement les kumaras grillés avec les graines de sésame, la roquette et la vinaigrette.

Par portion lipides 22,5 g ; 720 kJ

Suggestion de présentation Servez comme entrée, accompagné d'un pide grillé, avant un poulet rôti en plat principal.

Les astuces du chef

Vous pouvez remplacer la roquette par de la mâche ou des jeunes feuilles d'épinards.

La vinaigrette peut être préparée la veille et conservée au frais, à couvert.

Huîtres au saumon fumé

Pour 6 personnes.

PRÉPARATION 15 MINUTES

1 citron vert
80 g de ricotta
60 g de mayonnaise
2 c. c. de câpres, égouttées
36 huîtres moyennes, ouvertes et conservées dans une moitié de coquille
60 g de saumon fumé, émincé en fines lanières

1 Prélevez délicatement le zeste du citron vert, qui doit être le plus fin possible (comptez 1 cuillerée à soupe de fines lanières de zeste). Pressez le citron dans un petit bol (comptez 1 cuillerée à soupe de jus).
2 Mixez le fromage, la mayonnaise, le jus et les câpres jusqu'à obtention d'une purée lisse.
3 Déposez sur les huîtres une cuillerée de purée de sauce et recouvrez de lanières de saumon et de zeste de citron vert. Servez aussitôt.

Par portion lipides 6,9 g ; 494 kJ

Suggestion de présentation Dressez les huîtres sur un lit de gros sel, décoré de fines lanières de zeste de citron. Cette entrée pourra être suivie, en plat principal, d'une côte de bœuf accompagnée de légumes sautés.

L'ASTUCE DU CHEF

Lorsque vous pelez le citron, veillez à ne pas atteindre la peau blanche, qui a un goût amer. Conservez les lamelles de zeste dans un sachet en plastique pour éviter qu'elles ne perdent leur goût piquant.

Tempura de légumes

Pour 6 personnes.

PRÉPARATION 20 MINUTES • CUISSON 10 MINUTES

Le broccolini a une saveur délicate, avec un arrière-goût légèrement piquant. Il est plus tendre et plus doux que le brocoli ordinaire et se mange en entier, de la fleur à la tige. Ce légume est un mélange de brocoli et de chou frisé chinois et il est parfois appelé « jeune brocoli ».

2 carottes moyennes (240 g)
1 poivron rouge moyen (200 g)
1 poivron vert moyen (200 g)
1 gros oignon (200 g)
2 blancs d'œufs
150 g de farine
75 g de Maïzena
310 ml d'eau glacée
huile végétale, pour la friture
800 g de courge musquée, coupée en fines tranches
400 g de broccolini
125 ml de sauce de soja

Aïoli au wasabi

2 jaunes d'œufs
1 c. s. de jus de citron
1 c. s. de wasabi
1 gousse d'ail, coupée en quatre
125 ml d'huile végétale
1 c. s. d'eau chaude

1 À l'aide d'un économe, détaillez les carottes en longs rubans. Coupez les poivrons en deux, épépinez-les et retirez les pédoncules, puis découpez-les en tranches de 2 cm d'épaisseur. Coupez l'oignon en fines rondelles.

2 Au moment de servir, battez les blancs d'œufs en neige dans un petit saladier, jusqu'à la formation de petits pics à la surface. Tamisez la farine dans un grand saladier, versez l'eau et mélangez. Incorporez délicatement les blancs d'œufs et mélangez.

3 Faites chauffer l'huile dans un wok ou une grande poêle. Trempez les légumes, un par un, dans la pâte, puis faites-les revenir jusqu'à ce qu'ils soient légèrement dorés et croustillants. Égouttez-les sur du papier absorbant et conservez-les au chaud pendant que faites frire le reste de légumes. Servez les beignets accompagnés de petits bols contenant la sauce de soja et l'aïoli au wasabi.

Aïoli au wasabi Mixez ensemble les jaunes d'œufs, le jus de citron, le wasabi et l'ail, jusqu'à obtention d'un mélange homogène. Sans couper le moteur du mixeur, ajoutez progressivement l'huile en petits filets, jusqu'à obtention d'une émulsion ferme et épaisse. Vous pouvez éclaircir l'aïoli avec de l'eau chaude.

Par portion lipides 40 g ; 2 407 kJ

Suggestion de présentation Ces légumes à la tempura pourront être suivis de sushis ou d'une soupe de nouille.

LES ASTUCES DU CHEF

La pâte à beignets doit être préparée juste avant la mise en route de la friture. Ne cherchez pas à obtenir une pâte homogène, celle-ci doit rester pleine de grumeaux.

L'aïoli au wasabi est délicieux pour accompagner des légumes crus ou servi avec une soupe de poisson.

Rouleaux de printemps au thon et à l'avocat

Pour 12 rouleaux.

PRÉPARATION 30 MINUTES • CUISSON 50 MINUTES

Pour cette recette, choisissez un poisson extra-frais car il sera servi cru. Vous pouvez remplacer le thon par du saumon fumé ou de la truite fumée.

3 betteraves moyennes (500 g)

12 feuilles de riz (12 x 22 cm)

12 tranches fines de thon (200 g)

200 g de pousses de daikon ou de pois gourmands

4 ciboules, émincées

1 grand avocat (320 g), coupé en tranches fines

70 g de gingembre, mariné et égoutté

125 ml de sauce de soja

1. Préchauffez le four à température élevée.
2. Emballez les betteraves dans une feuille d'aluminium et déposez-les sur un plat à gratin. Faites-les cuire 50 minutes à un four chaud, jusqu'à ce qu'elles soient tendres. Laissez refroidir 5 minutes. Pelez les betteraves quand elles sont encore chaudes et découpez-les en tranches fines.
3. Faites tremper délicatement une feuille de riz dans un saladier rempli d'eau chaude. Quand elle est ramollie, retirez-la doucement de l'eau et déposez-la sur une planche. Déposez une tranche de thon au milieu de la feuille de riz et garnissez avec un peu de betterave, de pousses de pois gourmands ou de daikon, d'oignon, d'avocat et de gingembre. Roulez la feuille afin d'envelopper la farce, en repliant les rebords après le premier tour complet. Procédez de même avec le reste des ingrédients.
4. Servez les rouleaux avec une sauce de soja.

Par portion lipides 4,9 g ; 384 kJ

Moules aux herbes

Pour 8 personnes.

PRÉPARATION 30 MINUTES • CUISSON 25 MINUTES

80 moules de bouchot moyennes (environ 2 kg)
2 c. s. d'huile d'olive
8 gousses d'ail, écrasées
4 piments rouges, épépinés et finement hachés
1 c. s. de zeste de citron, finement râpé
250 ml de jus de citron
250 ml de vin blanc sec
1/2 tasse de persil plat frais, finement haché
1/3 de tasse de feuilles de basilic frais, finement hachées

1 Nettoyez les moules à la brosse et retirez les barbes.
2 Faites chauffer l'huile dans une casserole puis, tout en remuant, faites revenir l'ail, le piment et le zeste de citron 2 minutes environ, jusqu'à ce que le mélange embaume. Ajoutez les moules, le jus de citron et le vin. Portez à ébullition, puis couvrez et laissez cuire 5 minutes environ, jusqu'à ce que les moules soient ouvertes (jetez celles qui restent fermées). Retirez les moules de la casserole.
3 Portez le jus de cuisson des moules à ébullition et laissez cuire, sans couvrir, 10 minutes environ, jusqu'à épaississement. Ajoutez le persil et le basilic, puis mélangez bien.
4 Ajoutez les moules dans la casserole et faites cuire à feu doux, en remuant sans cesse, jusqu'à ce qu'elles soient chaudes.

Par portion lipides 5,9 g ; 514 kJ

Suggestion de présentation Servez accompagné de riz basmati ou de riz parfumé au jasmin.

Crevettes sautées à l'ail

Pour 4 personnes.

PRÉPARATION 15 MINUTES • CUISSON 5 MINUTES

24 grosses crevettes crues (environ 1,25 kg)
80 ml d'huile d'olive
6 gousses d'ail, écrasées
2 piments rouges, épépinés et finement hachés
2 c. s. de persil plat frais, finement haché

1 Décortiquez et nettoyez les crevettes, en laissant la queue intacte.
2 Faites chauffer l'huile dans un wok ou une grande sauteuse et faites revenir l'ail et le piment jusqu'à ce que le mélange embaume.
3 Ajoutez les crevettes et faites-les revenir jusqu'à ce qu'elles changent de couleur. Saupoudrez de persil et servez aussitôt.

Par portion lipides 19,9 g ; 1 186 kJ

Suggestion de présentation Servez avec des quartiers de citron, du pain croustillant et du riz à la vapeur ou avec une salade aux avocats et aux tomates.

L'ASTUCE DU CHEF

Vous pouvez faire cuire les crevettes au barbecue. Dans ce cas, mélangez tous les ingrédients et faites mariner les crevettes la veille. Préparez les brochettes à la dernière minute

Côtelettes d'agneau tandoori et salade de concombres

Pour 6 personnes.

PRÉPARATION 25 MINUTES • CUISSON 20 MINUTES

200 g de yaourt
2 gousses d'ail, coupées en quatre
1 gros oignon (200 g), haché grossièrement
2 c. s. de gingembre frais, râpé
60 ml de jus de citron
1 c. c. de piment en poudre
2 c. c. de garam masala
1 c. s. de paprika doux
2 c. c. de cumin moulu
12 côtelettes d'agneau

Salade de concombres

2 petits concombres verts (260 g)
2 piments rouges, épépinés et finement hachés
60 ml d'huile d'arachide
1 1/2 c. s. de jus de citron
1 gousse d'ail, écrasée
2 c. c. de graines de cumin, grillées
1 c. s. de feuilles de menthe, coupées en fines lanières

Sauce à la coriandre

1/2 tasse de feuilles de coriandre
200 g de yaourt

1. Mixez en purée lisse le yaourt, l'ail, l'oignon, le gingembre, le jus et les épices.
2. Dans un grand saladier, versez la sauce sur les côtelettes et mélangez bien pour les recouvrir de marinade. Couvrez et réservez au frais toute une nuit.
3. Faites cuire l'agneau en plusieurs fois, sans l'égoutter, dans une poêle bien chaude préalablement huilée ou au barbecue, jusqu'à ce qu'elles soient dorées des deux côtés et cuites à point.
4. Servez l'agneau avec la salade de concombres et la sauce à la coriandre.

Salade de concombres À l'aide d'un économe, détaillez le concombre en longs et fins rubans. Au moment de servir, mélangez délicatement le concombre avec le reste des ingrédients dans un saladier.

Sauce à la coriandre Mixez le yaourt et la coriandre jusqu'à obtention d'une préparation homogène.

Par portion lipides 18,1 g ; 1 200 kJ

Fettucine aux champignons

Pour 6 personnes.

PRÉPARATION 15 MINUTES • CUISSON 30 MINUTES

500 g de fettucine
1 c. s. d'huile d'olive
1 gros oignon (200 g), finement haché
2 gousses d'ail, écrasées
400 g de champignons de Paris, coupés en deux
400 g de bolets, coupés en quatre
250 ml de bouillon de poulet
250 ml de vin blanc sec
300 ml de crème
2 c. s. de moutarde en grains
2 c. s. d'origan frais, haché grossièrement

1 Faites cuire les pâtes dans un grand volume d'eau bouillante salée, jusqu'à ce qu'elles soient *al dente*. Égouttez.

2 Pendant ce temps, faites chauffer l'huile dans une grande casserole et faites revenir l'oignon et l'ail, en remuant sans cesse, jusqu'à ce que l'oignon soit tendre. Ajoutez les champignons et laissez cuire 10 minutes, en remuant sans cesse, jusqu'à ce qu'ils soient dorés et tendres.

3 Versez le bouillon et le vin, remuez et laissez cuire 5 minutes à feu doux, sans couvrir, jusqu'à ce que le jus ait réduit de moitié. Ajoutez la crème, la moutarde et la moitié de l'origan, remuez et portez à ébullition, puis laissez cuire à feu doux, sans couvrir, pendant 2 minutes.

4 Ajoutez les pâtes et réchauffez-les rapidement en remuant sans cesse. Saupoudrez avec le reste d'origan et servez aussitôt.

Par portion lipides 13,3 g ; 1 753 kJ

Suggestion de présentation Servez accompagné d'une salade verte.

Soupe aux carottes et poivrons rouges grillés

Pour 8 personnes.

PRÉPARATION 25 MINUTES • CUISSON 1 H 30

4 gros poivrons rouges (1,4 kg)
1 c. s. d'huile d'olive
2 oignons moyens (200 g), hachés grossièrement
2 gousses d'ail, écrasées
2 c. s. de gingembre frais, râpé
1 c. c. de coriandre moulue
1 c. c. de graines de cumin
3 grandes carottes (540 g), coupées en gros dés
2 grosses pommes de terre (600 g), coupées en gros dés
2 x 400 g de tomates en boîte
1,5 l d'eau
200 g de yaourt

1 Coupez les poivrons en quatre, épépinez-les et retirez les pédoncules, puis faites-les griller à four très chaud, côté peau vers le haut. Laissez griller jusqu'à ce que la peau se boursoufle et noircisse. Recouvrez les poivrons d'un film alimentaire et laissez reposer pendant 5 minutes, puis retirez la peau et hachez grossièrement la chair.

2 Faites chauffer l'huile dans une grande casserole et faites revenir l'oignon et l'ail, en remuant sans cesse, jusqu'à ce que l'oignon soit tendre. Ajoutez le gingembre, la coriandre et les graines de cumin et laissez cuire, sans cesser de remuer, jusqu'à ce que le mélange embaume.

3 Ajoutez les poivrons, les carottes et les pommes de terre et laissez cuire 5 minutes, en remuant. Incorporez les tomates non égouttées et l'eau. Portez à ébullition, couvrez et faites mijoter à feu doux 1 heure environ, jusqu'à ce que les carottes et les pommes de terre soient tendres.

4 Mixez la soupe en plusieurs fois, jusqu'à obtention d'une purée lisse. Filtrez-la à travers une passoire fine ou un moulin à légumes, puis réchauffez-la jusqu'à ce qu'elle soit fumante. Décorez avec 1 cuillerée à soupe de yaourt et quelques graines de cumin (facultatif) et servez.

Par portion lipides 4,1 g ; 706 kJ

Suggestion de présentation
Servez avec des muffins légèrement grillés et une tapenade.

LES ASTUCES DU CHEF

Au lieu de recouvrir les poivrons grillés d'un film étirable, couvrez-les d'un saladier. La vapeur qui se forme alors sous le saladier facilite l'épluchage des poivrons.

Vous pouvez préparer cette soupe en grandes quantités et la conserver en barquettes au congélateur. Elle se garde ainsi jusqu'à trois mois (n'ajoutez le yaourt et le cumin qu'au moment de servir).

Salade verte aux crevettes

Pour 8 personnes.

PRÉPARATION 40 MINUTES • CUISSON 10 MINUTES

48 crevettes moyennes, crues (1,2 kg)
4 gousses d'ail, écrasées
1 c. c. de wasabi
2 c. s. d'eau
2 c. s. de mirin
2 c. s. de sauce de soja noire
1 c. s. de vinaigre de riz assaisonné
2 c. c. de sucre
1 petit daikon (400 g)
200 g de pois gourmands, coupés en fines lanières
4 ciboules, hachées grossièrement
100 g de feuilles de tat soi, coupées en grosses lanières
1 jeune salade romaine, coupées en grosses lanières
100 g d'endives frisées
1 grand concombre (400 g), épépiné et coupé en fines tranches
2 c. s. de gingembre mariné, émincé
2 c. s. de graines de sésame, grillées

1 Décortiquez et nettoyez les crevettes, en laissant la queue intacte, puis déposez-les dans un grand saladier.
2 Dans un petit bol, mélangez l'ail, le wasabi, l'eau, le mirin, la sauce de soja, le vinaigre et le sucre. Versez la moitié de la marinade sur les crevettes, couvrez et réservez au frais 3 heures ou toute une nuit. Réservez au frais le reste de la marinade.
3 Émincez le daikon en allumettes.
4 Égouttez les crevettes, puis faites-les revenir, en plusieurs fois, dans une grande poêle huilée, jusqu'à ce qu'elles aient légèrement changé de couleur.
5 Mélangez les crevettes avec le daikon, les pois gourmands, l'oignon, le tat soi, la laitue, les endives, le concombre et le gingembre. Versez le reste de la marinade sur la salade et saupoudrez de graines de sésame.

Par portion lipides 2,7 g ; 514 kJ

Suggestion de présentation Servez accompagné d'une baguette chaude.

L'ASTUCE DU CHEF

Les queues des crevettes sont conservées pour des raisons purement décoratives. Vous pouvez donc les retirer quand vous décortiquez les crustacés.

Pizza au prosciutto et à la ricotta

Pour 6 personnes.

PRÉPARATION 15 MINUTES • CUISSON 15 MINUTES

Le prosciutto est un jambon cru originaire d'Italie (en vente chez les traiteurs italiens).

3 tomates rondes moyennes (225 g)
3 x 335 g de pâte à pizza
135 g de purée de tomates
300 g de jeunes feuilles d'épinards
1 gros oignon rouge (300 g), coupé en fines rondelles
9 tranches de prosciutto (135 g), coupées en deux
1/4 de tasse de feuilles de basilic frais, hachées grossièrement
300 g de ricotta
40 g de pignons de pin
60 ml d'huile d'olive
2 gousses d'ail, écrasées

1. Préchauffez le four à température très élevée. Coupez chaque tomate en huit quartiers.
2. Étalez la pâte en rond et déposez-la sur la plaque du four. Étalez sur chacun part un tiers de la purée de tomates et garnissez de tomate, d'épinards, d'oignon, de prosciutto, de basilic, de fromage et de pignons de pin. Nappez chaque pizza d'huile et d'ail mélangés.
3. Faites cuire les pizzas 15 minutes à four très chaud, jusqu'à ce qu'elles soient légèrement dorées.

Par portion lipides 27,6 g ; 2 934 kJ

Suggestion de présentation Accompagnez de roquette au parmesan.

Curry de poulet au thym

Pour 6 personnes.

PRÉPARATION 15 MINUTES • CUISSON 45 MINUTES

2 c. s. d'huile d'arachide
4 gros oignons (800 g), émincés en fines tranches
2 c. c. de thym frais, finement haché
60 g de curry doux en poudre
6 gousses d'ail, écrasées
1 c. s. de gingembre frais, râpé
4 tomates moyennes (760 g), hachées grossièrement
1/4 de tasse de feuilles de coriandre fraîche, finement hachées
1,5 kg de blancs de poulet
500 ml de bouillon de volaille

1 Faites chauffer l'huile dans une grande sauteuse et faites revenir l'oignon, le thym, le curry en poudre, l'ail et le gingembre, en remuant sans cesse, jusqu'à ce que l'oignon soit tendre.
2 Ajoutez les tomates et la coriandre. Laissez cuire 5 minutes environ, sans cesser de remuer, jusqu'à ce que les tomates soient fondantes.
3 Coupez les blancs de poulet en quatre, puis ajoutez-les dans la sauce. Laissez cuire 10 minutes environ, en remuant sans cesse, jusqu'à ce que le poulet soit légèrement doré. Versez le bouillon et laissez cuire 15 minutes à feu doux, sans couvrir, jusqu'à épaississement de la sauce.

Par portion lipides 18,7 g ; 1 919 kJ

Suggestion de présentation Servez accompagné d'un riz basmati, cuit à la vapeur.

L'ASTUCE DU CHEF

Ce plat est meilleur réchauffé. Préparez-le la veille et conservez-le au frais.

Salade de poulpes marinés

Pour 6 personnes.

PRÉPARATION 25 MINUTES • CUISSON 20 MINUTES

2 kg de petits poulpes, préparés
750 ml d'eau
750 ml de vin blanc sec
4 brins de persil plat frais
3 brins d'origan frais
2 feuilles de laurier
100 g de pousses de pois gourmands
150 g de jeunes pousses d'épinards
4 tomates olivettes moyennes (300 g), épépinées et coupées en fines tranches
1 oignon rouge moyen (170 g), émincé

Vinaigrette aux herbes

250 ml d'huile d'olive
160 ml de jus de citron
2 gousses d'ail, écrasées
2/3 de tasse de persil plat frais, haché grossièrement
2 c. s. d'origan frais, haché grossièrement
60 ml de vinaigre balsamique

1 Coupez les poulpes en deux. Dans une grande casserole, mélangez-les avec l'eau, le vin, le persil, l'origan et les feuilles de laurier. Portez à ébullition, puis couvrez et laissez cuire à feu doux 15 minutes environ. Égouttez et retirez les herbes, laissez refroidir les poulpes.

2 Mélangez les poulpes et la vinaigrette dans un grand saladier, couvrez hermétiquement et réservez au frais toute une nuit.

3 Au moment de servir, ajoutez les pousses de pois gourmands et d'épinards, les tomates et l'oignon. Mélangez délicatement.

Vinaigrette aux herbes Mélangez tous les ingrédients dans un récipient muni d'un couvercle hermétique et agitez vigoureusement.

Par portion lipides 43,1 g ; 2 999 kJ

Suggestion de présentation Servez avec des petits pains encore chauds, avec lesquelles vous pouvez, « saucer » la vinaigrette.

L'ASTUCE DU CHEF

Pour attendrir le poulpe, faites-le mariner tout une nuit dans la vinaigrette aux herbes.

Tartine aux légumes

Pour 6 personnes.

PRÉPARATION 20 MINUTES • CUISSON 45 MINUTES

1 grande aubergine (500 g)
1 c. c. de sel
2 poivrons rouges moyens (400 g)
400 g de champignons de Paris
2 petites carottes (140 g), coupées en gros dés
1 c. c. de cumin en poudre
65 g de fromage à tartiner allégé
500 g de pain blanc
50 g de salami, coupé en fines tranches
1/3 de tasse bien remplie de feuilles de basilic frais

1 Coupez les aubergines en tranches de 1 cm et déposez-les dans une passoire. Saupoudrez de sel et laissez reposer 30 minutes. Égouttez-les sur un papier absorbant.

2 Pendant ce temps, coupez les poivrons en quatre, épépinez-les et retirez les pédoncules, puis faites-les griller à four très chaud, côté peau tourné vers le haut. Laissez griller jusqu'à ce que la peau se boursoufle et noircisse. Recouvrez les poivrons avec du film alimentaire et laissez reposer 5 minutes, puis retirez la peau et hachez grossièrement la chair.

3 Faites cuire les aubergines et les champignons, en plusieurs fois, dans une poêle chaude préalablement huilée, jusqu'à ce qu'ils soient dorés des deux côtés.

4 Faites cuire les carottes à l'eau, à la vapeur ou au four à micro-ondes et laissez tiédir.

5 Faites revenir le cumin à sec dans une petite poêle chaude, jusqu'à ce qu'il embaume. Mixez ensuite les carottes, le cumin et le fromage jusqu'à obtention d'une purée lisse.

6 Préchauffez le four à température moyenne.

7 Coupez le pain en deux, dans le sens de la longueur. Retirez et réservez la mie pour ne conserver qu'une coquille de 2 cm de profondeur. Étalez sur le fond le mélange de carottes. Garnissez avec la moitié des aubergines, du salami, du basilic, des poivrons et des champignons, puis répétez l'opération avec le reste des ingrédients. Couvrez le tout avec l'autre moitié du pain et pressez fermement. Passez une ficelle de cuisine autour du pain et faites un nœud tous les 2 cm. Enveloppez-le ensuite dans une feuille d'aluminium.

8 Déposez le pain sur la plaque du four et faites cuire 25 minutes à four moyen, jusqu'à ce que le pain soit croustillant. Découpez en six portions et servez aussitôt.

Par portion lipides 7,6 g ; 1 157 kJ

Suggestion de présentation Servez accompagné d'une salade verte.

L'ASTUCE DU CHEF

Ce pain peut être préparé la veille et conservé au frais, à couvert.

Soupe japonaise aux légumes et aux nouilles

Pour 6 personnes.

PRÉPARATION 20 MINUTES • CUISSON 2 H 10

Les nouilles japonaises au blé (udon), larges et blanches, sont disponibles fraîches ou sèches et ressemblent à celles utilisées dans les soupes asiatiques. Les noris sont des feuilles d'algue, généralement utilisées pour la confection de sushis. Quant au miso, il s'agit d'une pâte à base de grains de soja cuits, écrasés, salés et fermentés. Vous pourrez vous procurer tous ces ingrédients dans les épiceries asiatiques ou dans certains supermarchés.

1,5 kg d'os de poulet
5 l d'eau
2 carottes moyennes (180 g), coupées en gros dés
2 branches de céleri (150 g), sans les feuilles, coupées en gros dés
4 grains de poivre noir
2 feuilles de laurier
2 oignons moyens (300 g), hachés grossièrement
10 champignons shiitake, déshydratés
65 g de miso
50 g de gingembre frais, finement émincé
60 ml de sauce de soja
600 g de nouilles udon fraîches
1 grande carotte (180 g), coupées en fines rondelles, supplémentaire
4 ciboules, coupées en fines rondelles
2 feuilles de nori, grillées et coupées en fines lanières

1. Mettez les os de poulet avec l'eau, les carottes, le céleri, les grains de poivre, les feuilles de laurier et les oignons dans une grande casserole. Portez à ébullition et laissez cuire à feu doux 2 heures, sans couvrir. Filtrez à travers une passoire fine dans un grand saladier. Réservez le bouillon, les os de poulet et les légumes.
2. Pendant ce temps, déposez les champignons dans un bol résistant à la chaleur et recouvrez-les d'eau bouillante. Laissez-les reposer 20 minutes. Égouttez-les, puis retirez les tiges. Coupez les têtes en fines lamelles.
3. Portez le bouillon à ébullition et ajoutez le miso, le gingembre et la sauce de soja. Laissez cuire 5 minutes à feu doux, sans couvrir.
4. Au moment de servir, ajoutez les nouilles et les champignons. Poursuivez la cuisson à feu doux, sans couvrir, jusqu'à ce que les nouilles soient tendres. Ajoutez ensuite le reste de carotte et les ciboules, puis saupoudrez de feuilles de nori en lanières.

Par portion lipides 2,3 g ; 1 228 kJ

Suggestion de présentation Le bouillon peut être préparé la veille et conservé au frais, à couvert. Vous pouvez également le congeler et le conserver six mois. Conditionnez-le en petites barquettes pour n'utiliser que la quantité nécessaire.

L'astuce du chef

Servez accompagné de beignets de légumes et de crevettes.

Pappardelle aux tomates séchées et au piment

Pour 6 personnes.

PRÉPARATION 15 MINUTES • CUISSON 25 MINUTES

2 oignons moyens (300 g), hachés grossièrement
2 gousses d'ail, coupées en quatre
150 g de tomates séchées à l'huile, égouttées
70 g de purée de tomates
2 piments rouges, épépinés et finement hachés
500 ml de bouillon de poulet
375 g de pappardelle
1/4 de tasse de persil plat frais, haché grossièrement

1 Mixez l'oignon, l'ail, les tomates, la purée de tomates et les piments.
2 Faites chauffer une grande poêle antiadhésive et faites revenir la préparation à la tomate pendant 10 minutes, en remuant sans cesse. Ajoutez le bouillon et portez à ébullition. Réduisez le feu et laissez mijoter 10 minutes environ, sans couvrir, jusqu'à épaississement de la sauce.
3 Faites cuire les pâtes dans une grande casserole d'eau bouillante salée, sans couvrir, jusqu'à ce qu'elles soient *al dente*. Égouttez.
4 Au moment de servir, mélangez délicatement les pâtes avec la sauce et saupoudrez de persil. Servez avec du parmesan râpé ou en fines lamelles.

Par portion lipides 2,9 g ; 1 147 kJ

Les astuces du chef

Vous pouvez remplacer les pappardelle (larges rubans) par d'autres variétés de pâtes longues (fettucine ou tagliatelle).

Cette sauce est encore meilleure si elle est préparée la veille et conservée au frais.

Blancs de poulet panés au parmesan

Pour 4 personnes.

PRÉPARATION 25 MINUTES • CUISSON 20 MINUTES

140 g de chapelure
25 g de parmesan, finement râpé
2 c. s. de persil plat frais, finement haché
12 filets de poulet (750 g)
110 g de farine
2 œufs, légèrement battus
250 g d'endives frisées
150 g de feuilles de roquette

Vinaigrette au basilic

1 tasse bien remplie de feuilles de basilic
125 ml d'huile d'olive
60 ml de jus de citron
1 gousse d'ail, écrasée

1 Préchauffez le four à température moyenne.
2 Mélangez la chapelure, le fromage et le persil dans un saladier. Roulez les filets, l'un après l'autre, dans la farine, puis secouez-les délicatement pour enlever l'excédent. Trempez-les ensuite dans les œufs battus, puis dans le mélange de chapelure. Déposez-les sur une plaque de four huilée et faites-les cuire à four moyen pendant 20 minutes, jusqu'à ce qu'ils soient légèrement dorés et bien cuits.
3 Servez le poulet avec une salade d'endives et de roquette assaisonnée avec la vinaigrette au basilic.

Vinaigrette au basilic Mixez tous les ingrédients jusqu'à obtention d'une sauce homogène.

Par portion lipides 43,8 g ; 3 162 kJ

L'ASTUCE DU CHEF

Préparez vous-même la chapelure avec du pain rassis émietté. Ajoutez ensuite le fromage et le persil, puis mixer le tout très rapidement (un ou deux tours de mixeur suffisent).

Gâteau de pommes de terre et courgettes aux légumes grillés

Pour 6 personnes.

PRÉPARATION 30 MINUTES • CUISSON 1 H 15

1 grande aubergine (500 g), coupée en gros dés
1 c. s. de sel
1 grand poivron rouge (350 g), coupé en gros dés
1 grand poivron jaune (350 g), coupé en gros dés
1 petite courgette jaune (90 g), coupée en gros dés
1 petite courgette verte (90 g), coupée en gros dés
6 grandes tomates olivettes (540 g), coupées en gros dés
60 ml d'huile d'olive
60 ml de vinaigre balsamique
1 gousse d'ail, écrasée
1 c. s. de sucre roux
2 c. s. de feuilles de basilic frais, coupées en fines lanières
2 grandes pommes de terre (600 g), coupées en fines tranches
2 courgettes vertes moyennes (480 g), râpées grossièrement, supplémentaires
2 œufs, légèrement battus
2 blancs d'œufs, légèrement battus
125 ml de crème
1 gousse d'ail, écrasée, supplémentaire
4 ciboules, finement hachées
1 c. s. d'aneth frais, finement haché

1 Préchauffez le four à température élevée.
2 Déposez l'aubergine dans une passoire. Saupoudrez de sel et laissez reposer 30 minutes. Rincez sous l'eau froide et égouttez sur du papier absorbant.
3 Mélangez l'aubergine, les poivrons, les courgettes et les tomates dans un grand plat à gratin. Dans un bol, mélangez l'huile, le vinaigre, l'ail et le sucre, et nappez les légumes de cette préparation. Faites cuire à four chaud, sans couvrir, 50 minutes environ, jusqu'à ce que les légumes soient tendres. Ajoutez le basilic et mélangez.
4 Pendant ce temps, disposez les pommes de terre et les courgettes en couches superposées dans un grand plat allant au four. Mélangez les œufs, les blancs d'œufs, la crème, l'ail, l'oignon et l'aneth dans un grand saladier, puis verser la préparation sur les pommes de terre. Faites cuire 25 minutes à four chaud, puis couvrez le plat d'une feuille de papier aluminium et poursuivez la cuisson pendant 15 minutes, jusqu'à ce que les pommes de terre soient tendres. Découpez le gâteau de pommes de terre et courgettes en quatre, puis en triangles. Servez avec les légumes grillés.

Par portion lipides 21,1 g ; 1 414 kJ

Suggestion de présentation Ce plat peut être servi chaud ou froid.

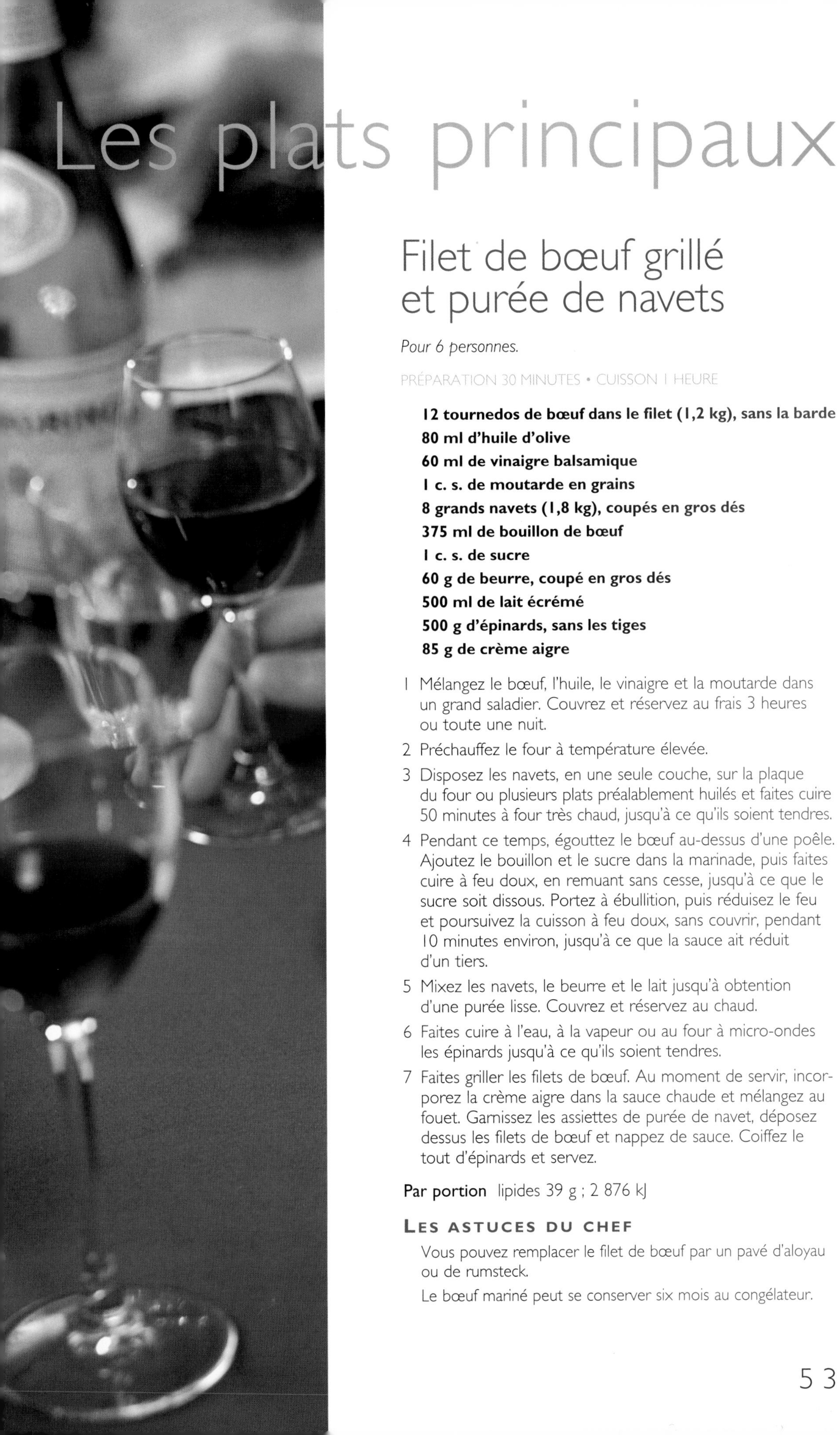

Filet de bœuf grillé et purée de navets

Pour 6 personnes.

PRÉPARATION 30 MINUTES • CUISSON 1 HEURE

12 tournedos de bœuf dans le filet (1,2 kg), sans la barde
80 ml d'huile d'olive
60 ml de vinaigre balsamique
1 c. s. de moutarde en grains
8 grands navets (1,8 kg), coupés en gros dés
375 ml de bouillon de bœuf
1 c. s. de sucre
60 g de beurre, coupé en gros dés
500 ml de lait écrémé
500 g d'épinards, sans les tiges
85 g de crème aigre

1 Mélangez le bœuf, l'huile, le vinaigre et la moutarde dans un grand saladier. Couvrez et réservez au frais 3 heures ou toute une nuit.

2 Préchauffez le four à température élevée.

3 Disposez les navets, en une seule couche, sur la plaque du four ou plusieurs plats préalablement huilés et faites cuire 50 minutes à four très chaud, jusqu'à ce qu'ils soient tendres.

4 Pendant ce temps, égouttez le bœuf au-dessus d'une poêle. Ajoutez le bouillon et le sucre dans la marinade, puis faites cuire à feu doux, en remuant sans cesse, jusqu'à ce que le sucre soit dissous. Portez à ébullition, puis réduisez le feu et poursuivez la cuisson à feu doux, sans couvrir, pendant 10 minutes environ, jusqu'à ce que la sauce ait réduit d'un tiers.

5 Mixez les navets, le beurre et le lait jusqu'à obtention d'une purée lisse. Couvrez et réservez au chaud.

6 Faites cuire à l'eau, à la vapeur ou au four à micro-ondes les épinards jusqu'à ce qu'ils soient tendres.

7 Faites griller les filets de bœuf. Au moment de servir, incorporez la crème aigre dans la sauce chaude et mélangez au fouet. Garnissez les assiettes de purée de navet, déposez dessus les filets de bœuf et nappez de sauce. Coiffez le tout d'épinards et servez.

Par portion lipides 39 g ; 2 876 kJ

Les astuces du chef

Vous pouvez remplacer le filet de bœuf par un pavé d'aloyau ou de rumsteck.

Le bœuf mariné peut se conserver six mois au congélateur.

Steaks de poisson sur un lit de courges et de pommes de terre au four

Pour 6 personnes.

PRÉPARATION 25 MINUTES • CUISSON 50 MINUTES

1,5 kg de courge musquée, coupée en gros dés
1 gros oignon rouge (300 g), haché grossièrement
3 grandes pommes de terre (900 g), coupées en gros dés
80 ml d'huile d'olive
2 c. s. d'oignon en poudre
1 1/2 c. s. de sel parfumé à l'ail ou aux herbes
2 c. c. de grains de poivre noir, écrasés
1 c. s. de moutarde en poudre
1/2 c. c. de poivre de Cayenne moulu
1 1/2 c. s. de paprika doux
2 c. c. de graines de fenouil
2 c. c. de graines de céleri
6 steaks de thon ou d'espadon (1,2 kg)
1 c. s. de paprika doux, supplémentaire
1/4 de tasse de feuilles de coriandre fraîche bien pressées, hachées grossièrement

1 Préchauffez le four à température très élevée.
2 Mélangez la courge, l'oignon, les pommes de terre et 1 cuillerée à soupe d'huile dans un grand plat à gratin. Faites cuire 40 minutes à four très chaud, jusqu'à ce que les légumes soient tendres et légèrement dorés.
3 Mélangez l'oignon en poudre, le sel parfumé, le poivre noir, la moutarde en poudre, le poivre de Cayenne, le paprika et les diverses graines dans un saladier de taille moyenne. Roulez les filets de poisson dans le mélange d'épices et remuez délicatement pour qu'ils en soient bien enrobés. Faites cuire les filets à feu vif, dans une poêle antiadhésive préchauffée et légèrement huilée.
4 Faites chauffer le reste d'huile dans une petite poêle et faites revenir le paprika, en remuant sans cesse, jusqu'à ce qu'il embaume. Filtrez à travers une passoire fine au-dessus d'un bol résistant à la chaleur.
5 Arrosez le poisson d'un filet d'huile au paprika et saupoudrez de coriandre, puis servez avec les courges et les pommes de terre.

Par portion lipides 22 g ; 2 388 kJ

Suggestion de présentation Accompagnez d'une salade de chou et de pousses de pois gourmands. Comme boisson, proposé du thé frais au citron vert.

L'ASTUCE DU CHEF

Vous pouvez prendre des crevettes grises non décortiquées et les enrober du mélange d'épices avant de les faire frire à la poêle, dans de l'huile très chaude.

Poulet masala

Pour 6 personnes.

PRÉPARATION 15 MINUTES • CUISSON 30 MINUTES

Pour cette recette indienne, la coriandre doit être réduite en pâte (masala) avant d'être cuisinée.

1 1/3 tasse de feuilles de coriandre fraîche

2/3 de tasse de feuilles de menthe fraîches

330 ml d'eau

2 c. c. d'huile de sésame

2 gousses d'ail, coupées en quatre

2 c. s. de gingembre frais, haché grossièrement

80 ml de vinaigre blanc

2 c. c. de curcuma moulu

2 c. c. de cumin moulu

1 c. c. de cardamome moulue

2 piments rouges, épépinés, coupés en quatre

1 c. c. de sel marin

2 c. s. d'huile végétale

12 cuisses de poulet (2 kg)

2 gros oignons (400 g), émincés

1 Mixez la coriandre, la menthe, l'eau, l'huile de sésame, l'ail, le gingembre, le vinaigre, les épices, le piment et le sel jusqu'à obtention d'une pâte homogène.
2 Faites chauffer la moitié de l'huile végétale dans une grande poêle et faites revenir les cuisses de poulet, en plusieurs fois, jusqu'à ce qu'elles soient légèrement dorées. Réservez.
3 Faites chauffer le reste d'huile végétale dans une sauteuse et faites revenir l'oignon, en remuant sans cesse, jusqu'à ce qu'il soit légèrement doré. Ajoutez le masala et laissez cuire 5 minutes, sans cesser de remuer, jusqu'à ce que les épices embaument. Incorporez le poulet et faites cuire, à couvert, pendant 10 minutes.

Par portion lipides 22,5 g ; 2 096 kJ

L'ASTUCE DU CHEF

La pâte masala peut être préparée la veille et conservée au frais (elle peut aussi être congelée).

Raviolis aux poivrons et à la ricotta

Pour 6 personnes.

PRÉPARATION 40 MINUTES • CUISSON 30 MINUTES

3 gros poivrons rouges (1 kg)
2 ciboules, finement hachées
1 gousse d'ail, écrasée
500 g de ricotta
72 feuilles de pâte à wonton
300 g de jeunes feuilles de roquette
125 ml d'huile d'olive
2 c. s. de jus de citron
2 c. s. de vinaigre balsamique
2 c. c. de sucre
1 gousse d'ail, coupée en quatre, supplémentaire
20 g de parmesan, coupé en copeaux

1 Coupez les poivrons en quatre, épépinez-les et retirez les pédoncules, puis faites-les griller à four très chaud, côté peau tourné vers le haut. Laissez griller jusqu'à ce que la peau se boursoufle et noircisse. Recouvrez les poivrons d'un film alimentaire et laissez reposer minutes, puis retirez la peau et hachez finement la chair.

2 Mélangez les poivrons, l'oignon, l'ail et la ricotta dans un saladier de taille moyenne.

3 Prenez 36 feuilles de pâte à wonton et déposez au milieu de chacune d'elle 1 cuillerée à café de farce. Passez un pinceau légèrement imbibé d'eau sur les bords de la feuille, recouvrez-la d'une feuille de pâte et pressez les bords pour sceller le ravioli.

4 Réservez un cinquième de la roquette. Mixez le reste avec l'huile, le jus de citron, le vinaigre, le sucre et l'ail supplémentaire, jusqu'à obtention d'une purée. Filtrez-la ensuite dans un bol de taille moyenne.

5 Faites cuire les raviolis, en plusieurs fois, dans une grande casserole d'eau bouillante salée. Égouttez-les. Versez la vinaigrette en petits filets sur les raviolis et garnissez le dessus avec le reste de roquette et le parmesan. Servez aussitôt.

Par portion lipides 30,9 g ;
1 913 kJ

Suggestion de présentation
Ces raviolis sont délicieux accompagnés d'une salade aux tomates et haricots blancs, assaisonnée avec une vinaigrette au citron et à l'ail.

L'ASTUCE DU CHEF

Préparez les raviolis la veille. Placez-les sur un plateau et réservez au frais, à couvert, jusqu'au moment de les cuire.

Agneau à la marocaine

Pour 6 personnes.

PRÉPARATION 25 MINUTES • CUISSON 2 HEURES

300 g de haricots blancs secs
12 jarrets d'agneau (2,6 kg environ)
35 g de farine
1 c. s. d'huile d'olive
2 oignons rouges (340 g), finement hachés
2 gousses d'ail, écrasées
2 c. c. de cumin moulu
1/2 c. c. de cardamome moulue
1/2 c. c. de gingembre moulu
2 c. c. de zeste de citron, finement râpé
80 ml de jus de citron
2 x 400 g de tomates en boîtes
625 ml de bouillon de bœuf
70 g de purée de tomates
750 ml d'eau
750 ml de lait
340 g de polenta
2 c. c. de zeste de citron, finement râpé, supplémentaires
1/4 de tasse de feuilles de persil plat frais, finement hachées
1/4 de tasse de feuilles de coriandre fraîche, finement hachées

1. Mettez les haricots dans un grand saladier, couvrez d'eau froide et laissez tremper toute une nuit, puis égouttez.
2. Roulez les jarrets dans la farine, puis secouez-les pour enlever l'excédent. Faites chauffer l'huile dans une grande poêle et faites revenir les jarrets, en plusieurs fois, jusqu'à ce qu'ils soient dorés sur toutes les faces. Ajoutez l'oignon et l'ail, puis faites revenir le tout, en remuant sans cesse, jusqu'à ce que l'oignon soit tendre. Incorporez les épices, remuez et laissez cuire 2 minutes, jusqu'à ce que le mélange embaume.
3. Ajoutez les haricots, le zeste de citron, le jus de citron, les tomates en boîte non égouttées, le bouillon et la purée de tomates, remuez et portez à ébullition. Couvrez et laissez mijoter 40 minutes à feu doux, puis 50 minutes à découvert, toujours à feu doux.
4. Faites chauffer l'eau et le lait dans une grande casserole, sans laisser bouillir, puis versez en pluie la polenta et laissez cuire 5 minutes, en remuant sans cesse, jusqu'à ce que le liquide soit entièrement absorbé.
5. Présentez l'agneau sur un lit de polenta, saupoudré de zeste de citron, de persil et de coriandre.

Par portion lipides 15,1 g ; 3 114 kJ

Suggestion de présentation Servez en entrée de ce plat principal une salade de radis aux oranges qui rappellera les couleurs de la cuisine marocaine.

L'ASTUCE DU CHEF

Ce plat est meilleur réchauffé. Cuisinez-le la veille et réservez-le au frais. La polenta, en revanche, doit être préparée à la dernière minute.

Curry de légumes et lentilles

Pour 6 personnes.

PRÉPARATION 15 MINUTES • CUISSON 30 MINUTES

2 c. s. d'huile d'arachide
2 gros oignons (400 g), hachés grossièrement
2 gousses d'ail, écrasées
1 c. s. de gingembre frais, râpé
2 c. s. de pâte de curry
6 tasses de bouillon de légumes
400 g de lentilles rouges
4 carottes moyennes (480 g), coupées en gros dés
250 g de haricots verts extra-fins
500 g de bouquets de chou-fleur
250 ml de lait de coco
1/4 de tasse de feuilles de coriandre fraîche, finement hachées

1 Faites chauffer l'huile dans une grande poêle et faites revenir l'oignon pendant 5 minutes, jusqu'à ce qu'il soit fondant. Ajoutez l'ail, le gingembre et la pâte de curry. Poursuivez la cuisson, en remuant sans cesse, jusqu'à ce que le mélange embaume.

2 Ajoutez le bouillon et les lentilles égouttées (que vous aurez fait tremper toute une nuit). Portez à ébullition, puis réduisez le feu et laissez mijoter 5 minutes, sans couvrir. Ajoutez les carottes, les haricots et le chou-fleur, puis faites cuire 10 minutes à feu doux, sans couvrir, jusqu'à ce que les légumes soient tendres.

3 Ajoutez le lait de coco et la coriandre. Poursuivez la cuisson, en remuant sans cesse, jusqu'à ce que le tout soit bien chaud.

Par portion lipides 20 g ; 1 847 kJ

Suggestion de présentation Servez accompagné d'un riz basmati cuit à la vapeur, d'un bol de concombres raïta et de pappadums parfumés au piment rouge.

Les astuces du chef

Le curry peut être préparé la veille et conservé au frais, à couvert.

Si vous utilisez du bouillon tout prêt, contentez-vous d'un demi-cube car le goût en est très concentré.

Côtelettes de veau grillées à la polenta

Pour 6 personnes.

PRÉPARATION 20 MINUTES • CUISSON 1 HEURE

750 ml d'eau
125 ml de lait
255 g de polenta
1 c. c. de sel marin
1 c. c. de poivre noir en grains, écrasés
6 grandes (1,5 kg) tomates, coupées en quatre
1 c. s. de vinaigre balsamique
6 côtelettes de veau
150 g de jeunes feuilles d'épinards

Sauce au vin

20 g de beurre
1 petit oignon (80 g), finement haché
1 gousse d'ail, écrasée
1 c. s. de farine
375 ml de bouillon de bœuf
125 ml de vin rouge
1 c. s. de sucre roux
1 c. s. de purée de tomates

1 Préchauffez le four à température élevée. Graissez une plaque de four rectangulaire de 19 x 29 cm.

2 Faites chauffer l'eau et le lait dans une grande casserole (sans laisser bouillir), puis versez en pluie la polenta et laissez cuire 5 minutes environ, en remuant sans cesse, jusqu'à ce que le liquide soit entièrement absorbé. Salez et poivrez, puis mélangez. Étalez la polenta sur la plaque de four en pressant avec les mains pour obtenir une épaisseur homogène. Quand elle est tiède, réservez au frais pendant 2 heures, jusqu'à ce qu'elle soit ferme.

3 Pendant ce temps, mélangez les tomates et le vinaigre dans un plat à gratin. Faites-les cuire 35 minutes à un four chaud, sans couvrir, jusqu'à ce qu'elles soient fondantes. Couvrez et réservez au chaud.

4 Retournez la polenta sur une planche, coupez les bords et découpez en six carrés. Coupez en diagonale et par la moitié chaque carré pour former des triangles. Faites revenir ces triangles dans un peu d'huile, jusqu'à ce qu'ils soient dorés des deux côtés. Couvrez et réservez au chaud.

5 Faites cuire les côtelettes sur le gril ou au barbecue, jusqu'à ce qu'elles soient dorées. Servez le veau accompagné des tomates, de polenta et de pousses d'épinards. Servez la sauce au vin à part.

Sauce au vin Faites fondre le beurre dans une poêle et faites revenir l'oignon et l'ail, en remuant sans cesse, jusqu'à ce que l'oignon soit tendre. Ajoutez la farine, remuez et laissez cuire jusqu'à ce que le mélange bouillonne. Versez le bouillon, le vin, le sucre et la purée. Poursuivez la cuisson pendant 5 minutes, en remuant toujours, jusqu'à épaississement de la sauce. Filtrez et versez dans un petit bol.

Par portion lipides 7,3 g ; 1 597 kJ

Suggestion de présentation Accompagnez d'une salade verte.

L'ASTUCE DU CHEF

Pour la sauce, choisissez un vin un peu charpenté, que vous proposerez à vos convives pour accompagner ce plat.

Saumon grillé au pesto de pistaches et de coriandre

Pour 6 personnes.

PRÉPARATION 25 MINUTES • CUISSON 25 MINUTES

500 g de courge musquée, coupée en petits dés
2 c. c. de coriandre moulue
2 c. c. de cumin moulu
60 ml d'huile d'olive
35 g de pistaches décortiquées et grillées
40 g de pignons de pin, grillés
1 tasse bien remplie de feuilles de coriandre fraîches
1 c. s. de jus de citron
2 gousses d'ail, coupées en quatre
6 petits filets de saumon (environ 1 kg)
400 g de couscous
20 g de beurre, coupé en gros dés
500 ml d'eau bouillante
1 petit oignon rouge (100 g), finement haché

1 Préchauffez le four à température élevée.
2 Mélangez la courge et les épices dans un grand plat à gratin. Arrosez avec 1 cuillerée à soupe d'huile d'olive. Faites cuire 25 minutes à four chaud, sans couvrir, jusqu'à ce que la courge soit dorée et tendre. Retournez la courge de temps en temps pour qu'elle cuise de manière uniforme.
3 Pendant ce temps, mixez les pistaches, les pignons de pin, la coriandre, le jus, l'ail et le reste d'huile jusqu'à obtenir une pâte un peu épaisse.
4 Faites cuire le saumon à la poêle ou au barbecue, jusqu'à ce qu'il soit doré des deux côtés.
5 Mélangez le couscous et le beurre avec l'eau dans un grand saladier résistant à la chaleur. Couvrez et laissez reposer 5 minutes, jusqu'à ce que l'eau soit entièrement absorbée. Aérer la graine à la fourchette, puis incorporez la courge.
6 Servez le saumon sur un lit de couscous et garni de pesto.

Par portion lipides 31,4 g ; 2 681 kJ

Suggestion de présentation Accompagnez d'une simple salade verte et de quelques tomates.

Les astuces du chef

Pour le pesto, vous pouvez remplacer la coriandre par des feuilles de roquette.

Le pesto peut être préparé deux jours à l'avance et conservé au frais, jusqu'au moment de servir.

Poulet au citron et aux nouilles fraîches

Pour 8 personnes.

PRÉPARATION 20 MINUTES • CUISSON 20 MINUTES

1 kg de blancs de poulet
500 g d'asperges fraîches
2 citrons moyens (280 g)
2 c. s. d'huile végétale
500 g de nouilles fraîches aux œufs
4 gousses d'ail, écrasées
1 c. s. de gingembre frais, râpé
4 ciboules, émincées
250 ml de bouillon de poulet
2 c. c. de sauce nuoc mâm
60 ml de jus de citron
10 feuilles de basilic, coupées en lanières

1 Coupez le poulet en morceaux de 3 cm de long. Coupez les asperges en tronçons de 3 cm de long. Coupez les citrons en deux, puis en fines lamelles.
2 Faites chauffer la moitié de l'huile dans un wok ou une sauteuse et faites sauter à feu très vif le poulet, jusqu'à ce qu'il soit légèrement doré. Réservez. Ajoutez les rondelles de citron et faites-les revenir 2 minutes à feu vif, jusqu'à ce qu'elles soient dorées. Mélangez-les ensuite au poulet.
3 Mettez les nouilles dans un saladier résistant à la chaleur, couvrez d'eau bouillante et laissez reposer jusqu'à ce qu'elles soient tendres, puis égouttez.
4 Pendant ce temps, faites chauffer le reste d'huile dans le wok ou dans la sauteuse et faites sauter à feu vif l'ail, le gingembre, les asperges et l'oignon, jusqu'à ce que les légumes soient un peu tendres (comptez environ 2 minutes).
5 Mélangez le poulet, les nouilles et les lamelles de citron dans le wok, versez le bouillon, la sauce nuoc mâm et le jus de citron, et faites cuire le tout à feu vif, en remuant sans cesse, jusqu'à ce que le mélange soit bien chaud. Retirez du feu, ajoutez le basilic et servez.

Par portion lipides 8,5 g ; 1 243 kJ

Suggestion de présentation
En accompagnement, servez du chou frisé en fines lanières et sauté au gingembre et à l'ail.

Filets de bœuf aux oignons caramélisés et aux champignons à l'ail

Pour 6 personnes.

PRÉPARATION 25 MINUTES • CUISSON 45 MINUTES

6 pavés de bœuf dans le filet (environ 1,25 kg)
125 ml de vinaigre rouge
2 c. s. de feuilles de basilic frais, finement hachées
2 gousses d'ail, écrasées
6 gros champignons de Paris (840 g)
2 c. s. d'huile d'olive
1 gousse d'ail, écrasée, supplémentaire
1 c. c. de citronnelle
20 g de beurre
6 oignons rouges moyens (1 kg), émincés
75 g de sucre roux
60 ml de vinaigre de vin rouge

1 Mélangez le bœuf, le vin, le basilic et l'ail dans un grand saladier. Couvrez et réservez au frais 3 heures ou toute une nuit.

2 Préchauffez le four à température élevée.

3 Disposez les champignons dans un plat à gratin peu profond. Arrosez de quelques filets d'huile, puis saupoudrez d'ail et de citronnelle. Faites cuire 25 minutes à four chaud, sans couvrir, jusqu'à ce qu'ils soient tendres.

4 Pendant ce temps, faites fondre le beurre dans une grande poêle, puis faites revenir les oignons, en remuant sans cesse, jusqu'à ce qu'ils soient tendres et légèrement dorés. Ajoutez le sucre et le vinaigre. Sans cesser de remuer, poursuivez la cuisson pendant 20 minutes environ, jusqu'à ce que les oignons soient caramélisés.

5 Égouttez le bœuf et réservez la marinade. Faites cuire les filets à la poêle ou au barbecue, jusqu'à ce qu'ils soient dorés des deux côtés.

6 Garnissez chaque filet d'un champignon et d'une cuillerée d'oignons caramélisés.

Par portion lipides 22,7 g ; 2 155 kJ

Suggestion de présentation Servez accompagné d'une purée de pommes de terre à la crème.

Les astuces du chef

Le vinaigre de vin rouge peut être remplacé par du vinaigre balsamique.

Vous pouvez conserver le bœuf mariné jusqu'à six mois au congélateur.

Risotto aux crevettes et aux asperges

Pour 6 personnes.

PRÉPARATION 30 MINUTES • CUISSON 50 MINUTES

32 crevettes moyennes (environ 1 kg), crues
500 g d'asperges vertes, fraîches
1,5 l de bouillon de poulet
375 ml de vin blanc sec
30 g de beurre
1 gros oignon (200 g), finement haché
2 gousses d'ail, écrasées
600 g de riz arborio
2 tomates moyennes (380 g), épépinées et finement hachées
1/3 de tasse de persil plat frais, haché grossièrement
1/2 c. c. de poivre noir en grains, écrasés

1 Décortiquez les crevettes, en laissant la queue intacte. Coupez les asperges en tronçons de 3 cm de long.

2 Mélangez le bouillon et le vin dans une grande casserole. Portez à ébullition, puis couvrez et réduisez le feu. Laissez mijoter à feu doux pour que le mélange reste chaud.

3 Faites fondre le beurre dans une grande casserole et faites revenir l'oignon et l'ail, en remuant sans cesse, jusqu'à ce que l'oignon soit tendre. Ajoutez le riz et remuez pour qu'il soit bien enrobé. Versez une tasse de bouillon chaud, puis laissez cuire à feu doux, en remuant toujours, jusqu'à ce que tout le liquide soit absorbé. Ajoutez une deuxième tasse de bouillon chaud et poursuivez la cuisson, sans cesser de remuer, jusqu'à ce que le liquide soit entièrement absorbé. Renouvelez l'opération et terminez la cuisson quand tout le bouillon a été absorbé (comptez à peu près 35 minutes).

4 Incorporez les crevettes, les asperges, les tomates, le persil et le poivre. Mélangez et laissez cuire jusqu'à ce que les crevettes changent de couleur. Les asperges doivent être tendres.

Par portion lipides 5,6 g ; 2 444 kJ

Suggestion de présentation
Servez accompagné d'une salade verte mélangée.

L'ASTUCE DU CHEF
Si vous n'arrivez pas à vous procurer du riz arborio, choisissez un riz dont le grain est petit et bien rond. Le riz long grain ne colle jamais et n'absorbe donc pas suffisamment le liquide pour prendre cette consistance gluante qui est propre au risotto.

Pavé de thon grillé aux carottes et au gingembre

Pour 6 personnes.

PRÉPARATION 25 MINUTES • CUISSON 40 MINUTES

Pour cette recette, choisissez une variété de pommes de terre à chair ferme (charlotte ou roseval). À défaut de thon blanc, achetez un poisson blanc à chair ferme (espadon, turbot, saint-pierre...). Le vin de gingembre vert a un goût prononcé de gingembre frais ; on peut le remplacer par du vermouth sec.

6 pommes de terre moyennes (1,2 kg)
huile
4 grandes carottes (720 g)
1 morceau de gingembre (longueur 10 cm)
2 bouquets de ciboulette
2 c. s. d'huile d'olive
2 gousses d'ail, écrasées
6 darnes de thon blanc (1,5 kg)
50 g de farine
180 ml de jus de citron
60 ml de vin de gingembre vert
625 ml de bouillon de poisson

1 Préchauffez le four à température élevée.
2 Détaillez les pommes de terre en tranches de 5 mm d'épaisseur. Disposez-les en une seule couche sur la plaque du four légèrement huilée. Arrosez de quelques filets d'huile, puis faites-les rôtir 40 minutes à four chaud, sans couvrir, jusqu'à ce qu'elles soient légèrement dorées.
3 Pendant ce temps, coupez les carottes et le gingembre en tranches de 2 mm d'épaisseur puis en fines lanières. Coupez les brins de ciboulette en deux.
4 Faites chauffer la moitié de l'huile dans une grande poêle et faites revenir les carottes, le gingembre et l'ail, jusqu'à ce que les carottes soient tendres. Ajoutez la ciboulette et mélangez. Couvrez et réservez au chaud.
5 Trempez les morceaux de poisson dans la farine, puis secouez-les pour retirer l'excédent. Faites chauffer le reste d'huile dans une grande poêle et faites cuire le poisson, jusqu'à ce qu'il soit légèrement doré. Déglacez la poêle avec le jus de citron, le vin et le bouillon. Portez à ébullition et laissez mijoter 10 minutes, sans couvrir, jusqu'à épaississement de la sauce.
6 Dressez les pommes de terre sur des assiettes chaudes, recouvrez-les avec le poisson et décorez le tout de lanières de gingembre et de carottes. Versez la sauce en petits filets sur le dessus.

Par portion lipides 14,1 g ; 2 263 kJ

Suggestion de présentation
Présentez des olives noires dans un bol à part.

Gigot d'agneau à la gremolata

Pour 6 personnes.

PRÉPARATION 15 MINUTES • CUISSON 1 H 40

1,7 kg de gigot d'agneau
60 ml de jus de citron
4 gousses d'ail, écrasées
5 grosses pommes de terre (1,5 kg)
1 oignon moyen (150 g), finement haché
2 branches de céleri (150 g), sans les feuilles, finement hachées
2 c. s. de farine
125 ml de vin rouge
500 ml de bouillon de bœuf
2 brins de romarin frais
1 c. s. de persil plat frais, finement haché

Gremolata

1/2 tasse de persil plat frais, finement haché
1 c. s. de zeste de citron, finement râpé
2 gousses d'ail, écrasées
35 g de chapelure
1 c. s. d'huile d'olive

1 Mélangez l'agneau, le jus de citron et la moitié de l'ail dans un grand saladier. Couvrez et réservez au frais pendant 3 heures ou toute une nuit, en retournant régulièrement la viande.

2 Préchauffez le four à température moyenne. Coupez chaque pomme de terre en huit.

3 Tapissez le fond d'un plat à gratin de pommes de terre, disposez l'agneau dessus et faites rôtir 1 heure à four moyen.

4 Recouvrez l'agneau de gremolata en pressant bien pour qu'elle adhère à la viande. Poursuivez la cuisson pendant 30 minutes.

5 Retirez l'agneau et les pommes de terre du plat à gratin. Couvrez et réservez au chaud. Faites cuire l'oignon, le céleri et le reste d'ail dans le plat, en remuant régulièrement, jusqu'à ce que les légumes soient tendres. Ajoutez la farine et mélangez bien pendant 1 minute, jusqu'à ce que le mélange bouillonne. Versez progressivement le vin et le bouillon, sans cesser de remuer, puis ajoutez le romarin. Poursuivez la cuisson, en remuant toujours, jusqu'à épaississement. Filtrez la sauce dans un bol.

6 Présentez l'agneau sur les quartiers de pommes de terre, saupoudrez de persil et servez la sauce à part.

Gremolata Mélangez tous les ingrédients dans un petit bol.

Par portion lipides 15,1 g ; 2 208 kJ

Poulet à l'ail sur un lit de taboulé tiède aux tomates rôties

Pour 6 personnes.

PRÉPARATION 40 MINUTES • CUISSON 35 MINUTES

6 blancs de poulet (1 kg)
2 gousses d'ail, écrasées
2 c. s. d'huile d'olive
2 c. c. de zeste de citron, finement râpé
1 c. c. de citronnelle
1/2 c. c. de paprika doux
500 g de tomates cerises
55 g de boulgour
5 tasses de feuilles de persil plat frais, hachées grossièrement
1 tasse de feuilles de menthe fraîche, hachées grossièrement
4 ciboules, finement hachées
1 petit rouge (100 g), finement haché
2 c. s. d'huile d'olive, supplémentaires
60 ml de jus de citron

1. Mélangez le poulet, l'ail, la moitié de l'huile, le zeste de citron, la citronnelle et le paprika dans un grand saladier. Couvrez et réservez au frais 3 heures ou toute une nuit.
2. Préchauffez le four à température élevée.
3. Mélangez les tomates et le reste d'huile dans un grand plat à gratin. Faites rôtir 25 minutes à four chaud, sans couvrir, jusqu'à ce qu'elles soient légèrement dorées et à peine fondantes.
4. Pendant ce temps, versez le boulgour dans un grand saladier et recouvrez d'eau froide. Laissez reposer 20 minutes, puis égouttez le boulgour en pressant bien pour éliminer l'eau. Dans un grand saladier, mélangez le boulgour avec le persil, la menthe, les oignons, le reste d'huile, le jus de citron et les tomates chaudes.
5. Égouttez le poulet et réservez la marinade. Faites cuire les filets à la poêle ou au barbecue, jusqu'à ce qu'ils soient dorés des deux côtés.
6. Servez le poulet sur un lit de taboulé aux tomates rôties.

Par portion lipides 17 g ; 1 472 kJ

Suggestion de présentation
Accompagnez de citrons grillés et de pain turc bien chaud.

LES ASTUCES DU CHEF

Coupez les feuilles de persil et de menthe aux ciseaux, au-dessus d'un grand saladier.

Le poulet mariné peut se conserver jusqu'à six mois au congélateur.

Rôti de porc et salade de choux aux piments

Pour 6 personnes.

PRÉPARATION 25 MINUTES • CUISSON 1 H 45

Choisissez de préférence un rôti de porc avec os (12 côtelettes) car la viande est plus goûteuse.

1 rôti de porc avec os (environ 2,5 kg)

125 ml de jus de citron vert

80 ml d'huile d'olive

3 gousses d'ail, écrasées

2 c. s. de vinaigre de cerise

2 c. c. de sucre

1 c. s. de graines de cumin, grillées

2 c. c. de sel

500 ml de bouillon de légumes

1 kg de chou blanc, coupé en fines lanières

5 gros cornichons macérés à l'aneth, égouttés et finement hachés

65 g de piments jalapeños, finement hachés

1/4 de tasse de feuilles de menthe fraîche finement hachées

4 ciboules, finement hachées

1. Mélangez le porc, le jus de citron, l'huile, l'ail, le vinaigre, le sucre et les graines de cumin dans un grand plat. Couvrez et réservez au frais 3 heures ou toute une nuit.
2. Préchauffez le four à température élevée.
3. Égouttez le porc au-dessus d'une grande poêle. Réservez la marinade. Posez le rôti de porc dans un grand plat à gratin. Versez le sel sur la peau et frottez pour le faire pénétrer. Faites rôtir 30 minutes à four chaud, puis baissez le thermostat à température moyenne et poursuivez la cuisson pendant 1 heure environ. Recouvrez de papier d'aluminium et laissez reposer pendant que vous préparez la salade.
4. Pendant ce temps, versez le bouillon dans la marinade et portez à ébullition, puis réduisez le feu et laissez mijoter 10 minutes sans couvrir, jusqu'à ce que la sauce ait réduit d'un tiers.
5. Dans un grand saladier, mélangez le chou frisé, les cornichons, les piments, la menthe et les ciboules.
6. Coupez le rôti en six. Servez les côtelettes de porc sur un lit de salade et nappez de sauce.

Par portion lipides 77,2 g ; 4 400 kJ

Suggestion de présentation En accompagnement, servez une purée de pommes de terre et de patate douce.

Les astuces du chef

Les piments jalapeños, disponibles en boîtes ou conservés dans la saumure, sont vendus entiers ou découpés en fines tranches. Si vous les achetez déjà découpés, détaillez-les en petits dés avant de les utiliser.

Le porc mariné peut se conserver six mois au congélateur.

Les légumes

Tomates au fromage de chèvre frais

Pour 6 personnes.

PRÉPARATION 15 MINUTES

8 tomates en grappe moyennes (1,5 kg), coupées en tranches épaisses
150 g de fromage de chèvre frais, coupé en tranches épaisses
25 g de noix, grillées et hachées grossièrement
60 ml d'huile d'olive
1 gousse d'ail, écrasée
1 1/2 c. s. de vinaigre aux framboises
2 c. c. de moutarde de Dijon
2 c. c. de thym frais, haché grossièrement
2 c. c. de sucre

Présentez les tranches de tomate et de fromage de chèvre comme sur l'illustration ci-contre, puis décorez-les de noix. Mélangez le reste des ingrédients et nappez les tomates de vinaigrette.

Par portion lipides 18,5 g ; 938 kJ

Suggestion de présentation Servez cette salade avec un poulet rôti ou un poisson grillé.

Les astuces du chef

Vous pouvez remplacer les noix par des noisettes et l'huile de noix par de l'huile de noisette.

Testez différents fromages de chèvre, et choisissez celui dont la texture et le goût vous semblent le mieux convenir pour cette recette.

Salade de lentilles au sésame et à la coriandre

Pour 4 personnes.

PRÉPARATION 15 MINUTES • CUISSON 20 MINUTES

100 g de lentilles rouges
100 g de lentilles brunes
2 c. s. de graines de sésame grillées
1 grand poivron jaune (350 g), finement haché
1 petit oignon rouge (100 g), finement haché
1/2 tasse de feuilles de coriandre fraîche
50 g de jeunes feuilles d'épinards, coupées en fines lanières
60 ml d'huile d'olive
2 c. s. de jus de citron
1 c. c. de cumin moulu

1 Faites cuire les lentilles séparément, sans couvrir, dans deux petites casseroles remplies d'eau bouillante, jusqu'à ce qu'elles soient tendres, puis égouttez.
2 Mélangez les lentilles avec les graines de sésame, le poivron, l'oignon, la coriandre et les épinards. Incorporez le reste des ingrédients et remuez délicatement.

Par portion lipides 19,1 g ; 1 341 kJ

Suggestion de présentation Servez cette salade accompagnée d'un poulet tandoori et de riz basmati.

L'ASTUCE DU CHEF

S'il vous reste de la salade, égouttez la sauce et garnissez-en un pain pita pour en garnir un sandwich.

Salade de tomates tiède

Pour 6 personnes.

PRÉPARATION 15 MINUTES • CUISSON 15 MINUTES

Les tomates cerises jaunes, légèrement plus petites et plus acides que les ordinaires, sont moins rondes et ont un peu la forme d'une poire.

1 kg de tomates cerises rouges, coupées en deux

500 g de tomates cerises jaunes, coupées en deux

10 ciboules

2 gousses d'ail, écrasées

2 c. s. de vinaigre balsamique

2 c. s. d'huile d'olive

2 c. s. d'eau

2 c. c. de sucre

1 c. c. de sel

180 g d'olives niçoises, dénoyautées

1 c. s. de feuilles de menthe fraîche, coupées en fines lanières

1 Faites revenir les tomates dans une poêle antiadhésive légèrement huilée, puis retirez-les de la poêle et disposez-les dans un grand saladier.

2 Coupez les ciboules en tronçons de 8 cm de long, puis faites-les revenir dans la poêle, jusqu'à ce qu'elles soient tendres. Ajoutez-les ensuite aux tomates.

3 Faites chauffer pendant 3 minutes l'ail, le vinaigre, l'huile, l'eau, le sucre et le sel, en remuant sans cesse, jusqu'à épaississement de la sauce.

4 Versez la sauce chaude sur les tomates. Ajoutez les olives et la menthe, puis mélangez.

Par portion lipides 20,6 g ; 1 073 kJ

Salade verte aux pignons de pin

Pour 8 personnes.

PRÉPARATION 12 MINUTES

4 ciboules

400 g de feuilles de salade verte variée

40 g de pignons de pin, grillés

Vinaigrette au citron vert

60 ml de jus de citron vert

60 ml d'huile d'arachide

2 gousses d'ail, écrasées

1 c. c. de sucre

1 Coupez les ciboules en tronçons de 10 cm de long, puis émincez-les en fines rondelles. Déposez les rondelles dans un bol d'eau glacée et laissez reposer 10 minutes environ.

2 Égouttez les ciboules puis mettez-les dans un grand saladier avec le mélange de salades et les pignons. Versez la vinaigrette et mélangez délicatement.

Vinaigrette Mélangez tous les ingrédients dans un récipient muni d'un couvercle hermétique et secouez énergiquement.

Par portion lipides 10,8 g ; 460 kJ

Suggestion de présentation Servez en accompagnement des champignons grillés.

L'ASTUCE DU CHEF

Les ciboules épluchées peuvent être conservées au frais et à couvert toute une nuit.

Légumes verts à l'asiatique

Pour 6 personnes.

PRÉPARATION 10 MINUTES • CUISSON 10 MINUTES

250 ml de bouillon de poule
80 ml de sauce aux huîtres
2 c. c. d'huile de sésame
2 kg de chou frisé chinois, épluché
1 kg de choy sum, épluché

1 Versez le bouillon, la sauce et l'huile dans un wok ou une grande poêle, mélangez et portez à ébullition.

2 Ajoutez le chou frisé et faites-le cuire 3 minutes, en remuant sans cesse, jusqu'à ce que les feuilles soient tendres. Incorporez le choy sum, couvrez et laissez-le cuire 5 minutes (les légumes doivent rester un peu croquants).

Par portion lipides 1,9 g ; 211 kJ

Suggestion de présentation Servez avec un porc ou un canard chinois grillé et du riz basmati.

L'ASTUCE DU CHEF

Tous les légumes asiatiques à feuilles conviennent pour cette recette, qui se prépare au moment de passer à table.

Salade de pommes de terre aux herbes

Pour 8 personnes.

PRÉPARATION 15 MINUTES • CUISSON 15 MINUTES

2 kg de petites pommes de terre nouvelles, coupées en deux

1/3 de tasse de feuilles de menthe fraîche finement hachées

1/3 de tasse de feuilles de persil plat finement hachées

80 ml de vinaigre de vin

60 ml d'huile d'olive

2 c. s. de sucre roux

1 Faites cuire les pommes de terre à l'eau ou à la vapeur, jusqu'à ce qu'elles soient tendres. Égouttez-les et réservez-les au chaud.

2 Mettez le reste des ingrédients dans un grand saladier et mélangez bien.

3 Ajoutez les pommes de terre et remuez délicatement.

Par portion lipides 7,4 g ; 1 002 kJ

Suggestion de présentation Servez avec de l'agneau grillé ou des brochettes de bœuf.

L'astuce du chef

Préparez la vinaigrette la veille pour permettre aux arômes de se développer, puis réservez au frais, à couvert, toute une nuit.

Pommes de terre rôties à la moutarde et à l'aneth

Pour 6 personnes.

PRÉPARATION 10 MINUTES • CUISSON 1 H 30

Pour cette recette, choisissez de préférence une petite pomme de terre à chair ferme (ratte ou grenaille de Noirmoutier).

1 kg de pommes de terre à chair ferme

5 petits oignons rouges (500 g), coupés en quatre

1 c. s. de sel marin

2 gousses d'ail, écrasées

125 ml d'huile d'olive

1 c. s. de moutarde de Dijon

1 c. s. de moutarde en grains

2 c. s. de vinaigre balsamique

400 g de petits légumes marinés, égouttés et coupés en deux

1 Préchauffez le four à température moyenne.
2 Dans un plat à gratin, mélangez les pommes de terre, l'oignon, le sel, l'ail et la moitié de l'huile, puis remuez délicatement. Faites rôtir 1 h 30 à four chaud, sans couvrir, jusqu'à ce que les pommes de terre soient tendres. Retournez-les à mi-cuisson.
3 Dans un grand saladier, versez le reste d'huile et ajoutez le reste des ingrédients. Au moment de servir, mettez les pommes de terre dans cette sauce et remuez délicatement.

Par portion lipides 20,3 g ; 1 329 kJ

Suggestion de présentation Servez avec du thon ou du saumon grillés.

Salade de courgettes à la menthe et aux amandes

Pour 6 personnes.

PRÉPARATION 20 MINUTES

4 courgettes vertes moyennes (480 g)

4 courgettes jaunes moyennes (480 g)

80 g d'amandes blanches, grillées

2 grands poivrons rouges (700 g), coupés en fines tranches

1/3 de tasse de feuilles de menthe fraîche, finement hachées

Vinaigrette

125 ml d'huile d'olive

1 c. s. de jus de citron

1 c. c. de zeste de citron, finement râpé

2 c. s. de vinaigre de framboise

1 À l'aide d'un économe, coupez les courgettes en rubans fins.
2 Mettez les courgettes dans un grand saladier avec les amandes, les poivrons et la menthe. Versez la vinaigrette et mélangez délicatement.

Vinaigrette Mélangez tous les ingrédients dans un récipient muni d'un couvercle hermétique et secouez énergiquement.

Par portion lipides 27,9 g ; 1 264 kJ

Suggestion de présentation Cette salade accompagne à merveille les poissons pochés ou grillés.

L'ASTUCE DU CHEF

Choisissez les feuilles de menthe bien vertes et sans tâches brunes. Un bouquet de menthe peut se conserver 5 jours au frais, si on fait tremper les tiges dans un verre d'eau.

Purée de kumaras

Pour 8 personnes.

PRÉPARATION 10 MINUTES • CUISSON 1 HEURE

4 gros kumaras (2 kg), hachés grossièrement

2 c. s. d'huile d'olive

250 ml de babeurre

20 g de beurre

1 Préchauffez le four à température assez élevée.
2 Mélangez les kumaras avec l'huile dans un grand plat à gratin. Faites-les rôtir 1 heure à four chaud, sans couvrir.
3 Mixez les kumaras en purée, puis faites réchauffer dans une casserole en remuant sans cesse.

Par portion lipides 7,7 g ; 910 kJ

Suggestion de présentation
Servez avec des steaks grillés et des tomates cuites au four.

Les astuces du chef

Préparez cette purée à la dernière minute.

Vous pouvez ajouter quelques gouttes de jus de citron ou quelques cuillerées à soupe d'herbes fraîches (thym, aneth ou persil plat).

Épinards à la crème

Pour 6 personnes.

PRÉPARATION 25 MINUTES
CUISSON 15 MINUTES

1,25 kg d'épinards, sans les tiges

40 g de beurre

1 oignon moyen (150 g), haché grossièrement

2 gousses d'ail, coupées en quatre

1/2 c. c. de noix de muscade moulue

80 ml de vin blanc

125 ml de crème

125 ml de bouillon de volaille

1 Faites cuire les épinards, puis égouttez et laissez refroidir 5 minutes. Pressez fortement pour éliminer l'eau.
2 Faites fondre le beurre dans une casserole et faites revenir l'oignon et l'ail, en remuant sans cesse. Ajoutez la noix de muscade, remuez et laissez cuire 1 minute environ.
3 Versez le vin et portez à ébullition, puis laissez mijoter jusqu'à ce que le liquide ait réduit de moitié. Ajoutez les épinards, la crème et le bouillon. Poursuivez la cuisson pendant 2 minutes, en remuant.
4 Quand la préparation est chaude, passez-la au mixeur, puis transvasez la purée dans la casserole et réchauffez, en remuant sans cesse.

Par portion lipides 14,8 g ; 706 kJ

Suggestion de présentation
Servez avec une purée de kumara et du poulet rôti.

L'astuce du chef

Égouttez les épinards dans un torchon ou sur du papier absorbant, en pressant avec vos mains. Des épinards mal égouttés donneront une sauce trop aqueuse et moins agréable à l'œil et au goût.

Salade de fèves aux anchois

Pour 6 personnes.

PRÉPARATION 30 MINUTES • CUISSON 10 MINUTES

1 kg de fèves décongelées
8 filets d'anchois, égouttés
80 ml de jus de citron
80 ml d'huile d'olive
2 gousses d'ail, coupées en quatre
2 c. c. de câpres en bocal, égouttées
1 bouquet de ciboulette fraîche
1 oignon rouge moyen (170 g), finement haché

1. Faites cuire les fèves à l'eau, à la vapeur ou au four à micro-ondes jusqu'à ce qu'elles soient tendres. Égouttez-les, puis passez-les immédiatement sous l'eau froide pour arrêter la cuisson. Égouttez-les à nouveau puis écossez-les.
2. Mixez les anchois, le jus de citron, l'huile, l'ail et les câpres jusqu'à obtention d'une purée lisse.
3. Coupez la ciboulette en tronçons de 2 cm.
4. Mettez les fèves, la sauce aux anchois, la ciboulette et l'oignon dans un grand saladier et mélangez délicatement.

Par portion lipides 16,7 g ; 948 kJ

Suggestion de présentation Cette salade peut se déguster avec une quiche aux oignons caramélisés.

L'ASTUCE DU CHEF

Au printemps, achetez de préférence des fèves fraîches, plus savoureuses que les fèves congelées. Comptez 1,5 kg de fèves entières.

Asperges fraîches à l'ail et aux œufs

Pour 8 personnes.

PRÉPARATION 10 MINUTES • CUISSON 10 MINUTES

80 g de beurre

2 c. s. de miel

2 gousses d'ail, écrasées

70 g de chapelure

1 kg d'asperges vertes fraîches, épluchées

2 œufs cuits durs, finement hachés

1/3 de tasse de persil plat, haché grossièrement

1 Faites fondre la moitié du beurre et la moitié du miel dans une grande poêle. Ajoutez l'ail et la chapelure. Faites revenir le tout, en remuant sans cesse, jusqu'à ce que la chapelure soit dorée et croustillante.

2 Faites cuire à l'eau, à la vapeur ou au four à micro-ondes les asperges jusqu'à ce qu'elles soient tendres, puis égouttez-les.

3 Parsemez la chapelure, les œufs durs hachés et le persil sur les asperges, puis nappez de beurre et de miel fondus. Servez aussitôt.

Par portion lipides 9,9 g ; 621 kJ

Suggestion de présentation
Servez avec des côtelettes d'agneau grillées et des quartiers de citron.

Les astuces du chef

Cette recette se prépare à la dernière minute pour que la chapelure reste croustillante.

Pour couper les œufs en petits cubes, utilisez un coupe-œufs. Coupez l'œuf une première fois dans le sens de la longueur puis retournez-le sur le côté et coupez dans le sens de la largeur. Vous obtiendrez ainsi des petits dés. Si vous ne disposez pas d'un coupe-œufs, utilisez une râpe.

Vous pouvez émincer les œufs à la râpe...

...ou les couper en petits dés à l'aide d'un coupe-œufs.

Salade de pois chiches

Pour 8 personnes.

PRÉPARATION 20 MINUTES • CUISSON 50 MINUTES

300 g de pois chiches secs

250 g de tomates cerises, coupées en deux

1 grand concombre (400 g), épépiné et haché grossièrement

2 branches de céleri (150 g), sans les feuilles, hachées grossièrement

1 oignon rouge moyen (170 g), finement haché

1/4 de tasse de feuilles de menthe fraîche, finement hachées

1/2 c. c. de sel marin

60 ml de jus de citron vert

60 ml d'huile d'olive

2 c. c. de moutarde de Dijon

1/4 de c. c. de sucre

2 gousses d'ail, écrasées

1. Mettez les pois chiches dans un grand saladier rempli d'eau froide. Laissez tremper toute une nuit, puis égouttez.
2. Faites cuire les pois chiches 50 minutes dans une grande casserole remplie d'eau bouillante, sans couvrir, jusqu'à ce qu'ils soient tendres. Égouttez-les, puis rincez-les sous l'eau froide et égouttez à nouveau.
3. Dans un grand saladier, mélangez les pois chiches, les tomates, le concombre, le céleri, l'oignon, la menthe et le sel. Mettez le reste des ingrédients dans un pot muni d'un couvercle hermétique, secouez vigoureusement et nappez la salade de pois chiches de cette sauce, puis mélangez délicatement.

Par portion lipides 9,5 g ; 776 kJ

Suggestion de présentation Servez avec des brochettes d'agneau marinées et grillées.

L'ASTUCE DU CHEF

Si vous manquez de temps, utilisez des pois chiches en boîtes. Rincez le contenu de deux boîtes de 400 g de pois chiches sous l'eau froide. Laissez égoutter complètement avant de les mélanger aux autres ingrédients. Cette recette peut être préparée la veille et conservée au frais, à couvert, toute une nuit.

Salade de chou et de pois gourmands

Pour 8 personnes.

PRÉPARATION 20 MINUTES

1 chou frisé (1,2 kg), coupé en fines lanières

1 poivron jaune moyen (200 g), coupé en fines lamelles

160 g de pousses de pois gourmands

4 ciboules, finement hachées

80 ml de jus de citron vert

60 ml d'huile d'olive

1 1/2 c. c. de sucre

1 c. s. de moutarde en grains

Dans un grand saladier, mélangez le chou, le poivron, les pois et l'oignon. Dans un bol muni d'un couvercle hermétique, mélangez le reste des ingrédients et secouez vigoureusement, puis nappez la salade de cette sauce et remuez délicatement.

Par portion lipides 7,3 g ; 377 kJ

Suggestion de présentation Cette salade est délicieuse avec des côtelettes de porc et des muffins grillés.

L'astuce du chef

Pour donner un peu de couleurs à cette salade, utilisez du chou rouge, mais n'ajoutez la vinaigrette qu'au dernier moment.

Salade verte au concombre et à la menthe

Pour 8 personnes.

PRÉPARATION 15 MINUTES

La menthe vietnamienne, aussi connue sous le nom de menthe cambodgienne ou laksa, est une herbe au goût prononcé. Ses feuilles pointues sont fréquemment utilisées dans les soupes et salades de la cuisine du Sud-Est asiatique.

4 mini-concombres (520 g)

2 laitues moyennes, feuilles coupées

2 trévises moyennes (400 g), feuilles coupées

1/2 tasse de feuilles de menthe vietnamienne fraîche

1 piment doux, épépiné et finement haché

1 c. s. de citronnelle, coupée en fines rondelles

125 ml d'huile d'arachide

3 c. c. d'huile de sésame

1 c. s. de sucre brut

2 c. c. de zeste de citron vert, finement râpé

60 ml de jus de citron vert

1 Coupez les concombres en fines tranches, en diagonale.

2 Dans un grand saladier, mélangez le concombre, les feuilles de salade et la menthe. Dans un bol muni d'un couvercle hermétique, mélangez le reste des ingrédients et secouez vigoureusement, puis nappez les concombres de sauce et remuez délicatement.

Par portion lipides 17 g ; 749 kJ

Suggestion de présentation Servez avec des crevettes grillées.

L'ASTUCE DU CHEF

Vous pouvez remplacer la menthe vietnamienne par de la menthe fraîche ordinaire et le piment doux par du poivron rouge

Les desserts

Poires pochées à la vanille et aux framboises

Pour 6 personnes.

PRÉPARATION 15 MINUTES • CUISSON 30 MINUTES

La gousse de vanille est cueillie sur une variété d'orchidée qui pousse au Mexique, à Madagascar et à Tahiti. Elle a une forme allongée et est vendue séchée. En l'ouvrant en deux dans le sens de la longueur, on dégage les centaines de graines noires qu'elle contient et qui servent à parfumer les sauces, les glaces et les sirops.

6 poires moyennes (1 kg)
220 g de sucre
500 ml d'eau
1 gousse de vanille
150 g de framboises fraîches

1 Pelez les poires en conservant leur queue intacte.
2 Mélangez le sucre et l'eau dans une grande casserole et faites cuire à feu doux, en remuant sans cesse, jusqu'à ce que le sucre soit dissous. Ouvrez la gousse de vanille, retirez les graines et ajoutez-les au sirop. Incorporez les poires et un tiers des framboises. Couvrez et laissez cuire à feu doux 20 minutes environ, jusqu'à ce que les poires soient juste tendres, en les retournant plusieurs fois en cours de cuisson. Laissez refroidir.
3 Dressez les poires avec le jus dans un grand saladier. Couvrez et réservez au frais toute une nuit, en retournant plusieurs fois les poires pour les imprégner de jus.
4 Une heure avant de servir, ajoutez le reste de framboises, remuez délicatement, puis remettez au frais.

Par portion lipides 0,2 g ; 896 kJ

Suggestion de présentation Vous pouvez saupoudrer chaque poire de menthe fraîche hachée et présenter ce dessert avec de la crème fraîche fouettée et des chocolats fins (la vanille et le chocolat se complètent merveilleusement !).

Glace aux abricots

Pour 6 personnes.

PRÉPARATION 15 MINUTES • CUISSON 5 MINUTES

Pour 1 l de glace :
150 g d'abricots secs
60 ml de cognac
300 ml de crème
250 ml de lait
4 jaunes d'œufs
110 g de sucre

1 Mélangez les abricots et le cognac, laissez gonfler au moins 1 heure, puis mixez le tout.
2 Mélangez la crème et le lait dans une petite casserole. Faites chauffer ce mélange, en remuant sans cesse et en veillant à ne pas laisser bouillir.
3 Dans un saladier, battez les jaunes d'œufs et le sucre au fouet électrique jusqu'à obtention d'une pâte épaisse et crémeuse, puis incorporez-la progressivement à la crème.
4 Ajoutez le mélange d'abricots à cette préparation, remuez bien, puis versez le tout préparation dans un moule à dessert (1,25 l). Couvrez et mettez au congélateur 3 heures, jusqu'à ce que la glace soit presque ferme.
5 Mettez la glace dans un grand saladier et battez-la au fouet électrique jusqu'à obtention d'une texture crémeuse. Tapissez le moule à dessert de film étirable, versez la glace dessus, couvrez et congelez toute une nuit.

Par portion lipides 26,8 g ; 1 706 kJ

Gâteau au chocolat et aux noisettes

Pour 8 personnes.

PRÉPARATION 15 MINUTES • CUISSON 1 H 15

Pour cette recette, la farine ordinaire est remplacée par de la farine de noisettes, plus riche et plus épaisse.

35 g de poudre de cacao
80 ml d'eau chaude
150 g de chocolat noir, fondu
150 g de beurre doux, fondu
275 g de sucre roux bien tassé
110 g de farine de noisettes
4 œufs, séparés

1. Préchauffez le four à température moyenne. Beurrez un moule à gâteau profond, puis tapissez-le de papier sulfurisé.
2. Mélangez le cacao et l'eau dans un grand saladier jusqu'à obtention d'un mélange lisse. Ajoutez le chocolat, le beurre, le sucre et la farine. Mélangez jusqu'à obtention d'une préparation homogène. Incorporez les jaunes d'œufs l'un après l'autre, en remuant délicatement.
3. Dans un petit saladier, battez les blancs d'œufs en neige, jusqu'à ce qu'ils forment des petits pics à la surface. Incorporez-les, en deux fois, dans la préparation au chocolat.
4. Versez le mélange dans le moule et faites cuire 1 h 15 à four moyen, puis laissez refroidir dans le moule.

Par portion lipides 32,6 g ; 2 086 kJ

Sorbet de pastèque pilé et ananas au gingembre

Pour 6 personnes.

PRÉPARATION 30 MINUTES • CUISSON 30 MINUTES

Cette recette se prépare plusieurs heures à l'avance.

2 kg de pastèque, coupée en gros dés
165 g de sucre
500 ml d'eau
50 g de pousse de gingembre, coupée en fines lamelles
60 ml de vin de gingembre vert
110 g de sucre, supplémentaires
750 ml d'eau, supplémentaires
1 petit ananas (800 g), coupé en gros dés
4 blancs d'œufs
1 c. s. de feuilles de menthe fraîche, finement hachées

1 Mixez la pastèque et filtrez la purée ainsi obtenue au-dessus d'un grand saladier. Réservez les pépins et la pulpe.

2 Mélangez le sucre et l'eau dans une casserole et faites cuire à feu doux, en remuant, jusqu'à ce que le sucre soit dissous. Portez à ébullition, puis laissez mijoter pendant 10 minutes, sans couvrir. Coupez le feu et laissez refroidir.

3 Versez le sirop de sucre et le jus de la pastèque dans un saladier. Mélangez jusqu'à obtention dune préparation homogène, puis versez celle-ci dans un moule antiadhésif de 20 x 30 cm. Couvrez d'une feuille d'aluminium et mettez au congélateur pendant 3 heures.

4 Pendant ce temps, mélangez le gingembre, le vin de gingembre, le reste de sucre et d'eau dans une grande casserole. Faites cuire à feu doux, en remuant sans cesse, jusqu'à ce que le sucre soit dissous. Portez à ébullition, puis laissez mijoter 10 minutes. Versez le sirop dans un grand saladier résistant à la chaleur. Ajoutez l'ananas et laissez refroidir. Couvrez et réservez au frais 3 heures ou toute une nuit.

5 Quand la glace à la pastèque est presque dure, retirez-la du congélateur et mettez-la dans un grand saladier avec les blancs d'œufs. Battez avec un fouet électrique jusqu'à obtention d'un mélange lisse. Versez ce dernier dans un moule à gâteau de 14 x 21 cm. Couvrez et congelez toute une nuit.

6 Au moment de servir, versez la menthe dans la salade d'ananas et mélangez. Présentez le sorbet de pastèque à part.

Par portion lipides 0,5 g ; 1 178 kJ

Suggestion de présentation Servez avec des macarons à la noix de coco.

L'ASTUCE DU CHEF

Vous pouvez remplacer la pastèque par du melon.

Fondant aux dattes, sauce au caramel

Pour 6 personnes.

PRÉPARATION 10 MINUTES • CUISSON 1 HEURE

200 g de dattes séchées, dénoyautées
310 ml d'eau bouillante
1 c. c. de bicarbonate de soude
50 g de beurre, coupé en morceaux
100 g de sucre roux
2 œufs, légèrement battus
150 g de farine avec levure incorporée

Sauce au caramel

150 g de sucre roux
300 ml de crème
80 g de beurre

1 Préchauffez le four à température moyenne. Beurrez un moule à gâteau profond, puis tapissez-le de papier sulfurisé.

2 Mélangez les dattes et l'eau dans un saladier résistant à la chaleur, puis ajoutez le bicarbonate de soude et laissez reposer 5 minutes.

3 Mixez les dattes avec le beurre et le sucre. Ajoutez les œufs et la farine. Continuez à travailler la préparation au mixeur jusqu'à obtention d'un mélange homogène, puis versez ce dernier dans le moule.

4 Faites cuire 1 heure à four moyen environ (recouvrez d'une feuille d'aluminium si le gâteau commence à brunir). Laissez reposer le gâteau 10 minutes avant de le retourner sur un plat de service. Servez tiède accompagné de la sauce au caramel.

Sauce au caramel Mélangez les ingrédients dans une casserole et faites chauffer à feu doux, en remuant sans cesse, jusqu'à ce que la sauce soit lisse et légèrement épaissie.

Par portion lipides 41,3 g ; 2 974 kJ

Suggestion de présentation Ce gâteau est délicieux servi chaud accompagné de fraises fraîches coupées en tranches avec une crème épaisse.

Les astuces du chef

Le gâteau et la sauce peuvent être préparés la veille et conservés séparément, au frais et à couvert.

Le gâteau se conserve jusqu'à trois mois au congélateur. Faites-le décongeler et réchauffer au micro-ondes pendant que vous préparez la sauce.

Tarte au citron vert

Pour 6 personnes.

PRÉPARATION 30 MINUTES • CUISSON 1 HEURE

150 g de farine
40 g de sucre glace
100 g de beurre, coupé en morceaux
1 jaune d'œuf
1 c. c. d'eau glacée

Crème au citron vert

2 c. c. de zeste de citron vert, finement râpé
60 ml de jus de citron vert
4 œufs
75 g de sucre
250 ml de crème

Meringue

2 blancs d'œufs
110 g de sucre
35 g de noix de coco râpée et grillée

1 Préchauffez le four à 200 °C. Beurrez un moule rectangulaire ou rond à fond amovible.
2 Mixez la farine, le sucre, le beurre, les jaunes d'œufs et l'eau pour former une pâte, puis travaillez délicatement cette dernière sur une surface farinée, jusqu'à ce qu'elle soit lisse. Couvrez et réservez au frais 30 minutes.
3 Étalez la pâte entre deux feuilles de papier sulfurisé, puis recouvrez-la de haricots secs et faites-la cuire 15 minutes à four chaud. Retirez le papier et les haricots et faites cuire de nouveau 10 minutes, jusqu'à ce que la pâte soit dorée. Laissez tiédir, puis faites refroidir complètement au réfrigérateur. Réglez le four à température moyenne.
4 Nappez la pâte de crème au citron vert et faites cuire 30 minutes à four moyen, jusqu'à ce que la crème devienne un peu ferme. Laissez refroidir.
5 Nappez la tarte de meringue et faites cuire sous le gril, jusqu'à ce que la surface devienne légèrement dorée.

Crème au citron vert Fouettez les ingrédients dans un saladier, puis laissez reposer 5 minutes. Égouttez.

Meringue Battez les œufs en neige jusqu'à ce qu'ils soient très fermes. Versez délicatement le sucre, en plusieurs fois, en vous assurant qu'il est bien dissous avant d'en ajouter d'autre. Incorporez enfin la noix de coco et mélangez.

Par portion lipides 40,1 g ; 2 604 kJ

L'ASTUCE DU CHEF

La pâte peut être préparée la veille et conservée au frais dans un récipient hermétique. La tarte sera meilleure si la pâte est cuite la veille, puis conservée au frais et à couvert, sans la garniture.

Mousse au chocolat

Pour 8 personnes.

PRÉPARATION 10 MINUTES • CUISSON 10 MINUTES

200 g de chocolat noir
4 œufs
1 c. s. de liqueur de café
300 ml de crème épaisse

1 Mettez le chocolat dans un grand saladier résistant à la chaleur et faites fondre au bain-marie dans une casserole remplie d'eau frémissante. Retirez du feu et laissez refroidir 10 minutes.
2 Incorporez les jaunes d'œufs et la liqueur, puis mélangez.
3 Fouettez la crème dans un saladier, jusqu'à ce qu'elle forme des petits pics à la surface, puis incorporez-la délicatement dans la préparation au chocolat.
4 Battez les blancs d'œufs en neige jusqu'à ce qu'ils forment des petits pics à la surface, puis incorporez-les dans la préparation au chocolat.
5 Répartissez la mousse dans les coupes et réservez au frais, sans couvrir, pendant 3 heures environ, jusqu'à ce que la mousse soit ferme.

Par portion lipides 23,6 g ; 1 277 kJ

Suggestion de présentation
Cette mousse est délicieuse servie avec des petits gâteaux aux amandes.

Les astuces du chef

Pour varier, vous pouvez remplacer la liqueur de café par une liqueur à la menthe.

Quand vous faites fondre le chocolat au bain-marie, veillez à ce que le fond du récipient ne touche pas l'eau bouillante.

Panettone à la crème anglaise

Pour 6 personnes.

PRÉPARATION 20 MINUTES • CUISSON 40 MINUTES

Le panettone est un gâteau italien riche en raisins secs, pignons de pin et fruits confits. Servi traditionnellement à Noël, il est également proposé pour les grandes occasions : baptêmes, mariages... Cette recette fait un bon usage des restes de panettone.

Faites bouillir le sirop de sucre jusqu'à ce qu'il caramélise.

Versez le caramel sur les noix.

Coupez la pâte ainsi obtenue en gros morceaux.

500 g de panettone
50 g de beurre mou
875 ml de lait chaud
1 gousse de vanille
4 œufs
220 g de sucre
110 g de noix de macadamia, grossièrement hachées
2 c. s. d'eau

1. Préchauffez le four à feu doux. Beurrez six moules individuels allant au four.
2. Détaillez le panettone en cubes de 2 cm et beurrez-les sur un des côtés. Coupez ensuite chaque morceau en quatre et répartissez-les dans les moules.
3. Mélangez le lait et la gousse de vanille, coupée en deux, dans une casserole. Portez à ébullition, puis retirez du feu dès la formation de petits bouillons et laissez reposer 10 minutes à couvert.
4. Pendant ce temps, fouettez les œufs et la moitié du sucre dans une grande terrine résistant à la chaleur, puis versez progressivement le lait, sans cesser de fouetter. Filtrez dans un pot et réservez la gousse de vanille.
5. Versez délicatement le mélange aux œufs sur le panettone. Placez ensuite les moules dans un grand plat à gratin. Versez de l'eau bouillante dans le plat jusqu'à mi-hauteur des moules. Faites cuire à four doux pendant 30 minutes, sans couvrir, jusqu'à ce que la préparation soit ferme.
6. Pendant ce temps, répartissez les noix sur la plaque à four et faites-les griller 10 minutes au four (en même temps que le panettone), jusqu'à ce qu'elles soient légèrement dorées. Versez le reste de sucre et l'eau dans une petite casserole. Faites cuire à feu doux en remuant sans cesse, sans laisser bouillir, jusqu'à ce que le sucre soit dissous. Montez alors le feu et faites cuire 10 minutes à petits bouillons, sans couvrir et sans remuer, jusqu'à ce que le sirop prenne une couleur caramel. Versez-le sur les noix et laissez refroidir, puis coupez la pâte en gros morceaux.
7. Servez les desserts décorés de noix caramélisées et saupoudrés de sucre glace.

Par portion lipides 51,5 g ; 3 748 kJ

L'astuce du chef

Vous pouvez remplacer le panettone par de la brioche nature ou aux fruits confits, ou encore des pains au lait.

Flan aux pommes et aux amandes

Pour 8 personnes.

PRÉPARATION 30 MINUTES • CUISSON 40 MINUTES

185 g de farine
90 g de beurre, coupé en morceaux
55 g de sucre
2 jaunes d'œufs
1 c. s. d'eau, environ
2 pommes moyennes (300 g)
2 c. s. de confiture d'abricots

Garniture aux amandes

125 g de beurre, mou
75 g de sucre
2 œufs
125 g d'amandes moulues
1 c. s. de farine

1 Mixez ensemble la farine, le beurre, le sucre, les jaunes d'œufs et suffisamment d'eau pour que les ingrédients commencent à former une pâte. Travaillez cette dernière sur une surface farinée jusqu'à ce qu'elle soit lisse. Couvrez et réservez au frais 30 minutes.

2 Préchauffez le four à température modérée. Beurrez un moule à tarte à fond amovible. Étalez la pâte entre deux feuilles de papier sulfurisé jusqu'à ce qu'elle soit assez large pour couvrir le fond du moule. Garnissez le fond du moule en remontant la pâte sur les côtés, puis égalisez les bords. Pour éviter que la pâte ne s'affaisse durant la cuisson, remettez 30 minutes au frais.

3 Pelez les pommes, retirez les trognons et coupez les fruits en quatre, puis entaillez profondément chaque quartier tous les 3 mm en veillant à ce qu'il reste entier à la base.

4 Étalez la garniture aux amandes sur la pâte. Répartissez ensuite les quartiers de pomme, côté entailles vers le haut, en pressant légèrement pour qu'ils s'enfoncent dans la garniture. Faites cuire 40 minutes à four moyen, jusqu'à ce que la tarte soit légèrement dorée. Avec un pinceau, enduisez la tarte chaude de confiture d'abricots préalablement réchauffée. Laissez refroidir dans le moule.

Garniture aux amandes Fouettez le beurre et le sucre, puis ajoutez les œufs un par un, en mélangeant délicatement. Incorporez les amandes moulues et la farine, puis mélangez

Par portion lipides 33,8 g ; 2 097 kJ

Suggestion de présentation Ce dessert est encore meilleur servi avec une boule de glace vanille fondante sur le dessus.

LES ASTUCES DU CHEF

Préparez les pommes juste avant de les faire cuire pour éviter qu'elles ne brunissent pas.

Vous pouvez remplacer la confiture d'abricots par une gelée aux figues et aux amandes.

La pâte de la tarte peut être préparée la veille et conservée dans un récipient hermétique.

Épluchez les pommes, retirez le trognon et coupez les fruits en quatre.

Coupez chaque quartier en tranches de 3 mm d'épaisseur en veillant à ce que le morceau reste entier à la base.

Répartissez les quartiers sur la tarte.

Tiramisu meringué

Pour 8 personnes.

PRÉPARATION 50 MINUTES • CUISSON 50 MINUTES

6 blancs d'œufs
220 g de sucre en poudre
100 g de sucre roux
50 g de chocolat noir, râpé

Garniture au café

2 c. c. de café en poudre, instantané
2 c. c. d'eau chaude
300 ml de crème épaisse
250 g de mascarpone
60 ml de liqueur de café

1 Préchauffez le four à température modérée. Recouvrez deux plaques de four de papier sulfurisé. Tracez sur chaque feuille un cercle de 22 cm de diamètre.

2 Battez les œufs en neige. Versez en plusieurs fois le sucre roux et le sucre, en fouettant toujours et en veillant à ce qu'ils soient bien dissous avant d'en ajouter une nouvelle mesure.

3 Répartissez les blancs en neige sur chaque cercle, puis faites cuire 50 minutes à four doux, sans couvrir, jusqu'à ce que la préparation soit ferme. Alternez la position des plaques à mi-cuisson. Laissez refroidir la meringue dans le four, en laissant la porte entrouverte.

4 Étalez la moitié de la garniture au café sur une meringue, saupoudrez avec la moitié du chocolat, puis recouvrez avec l'autre meringue. Étalez le reste de garniture sur le dessus et saupoudrez de chocolat. Couvrez et réservez au frais 3 heures ou toute une nuit.

Garniture au café Mélangez le café et l'eau jusqu'à ce que le café soit dissous, puis fouettez la crème jusqu'à ce qu'elle forme des petits pics à la surface. Incorporez alors le mélange de café, le mascarpone et la liqueur. Mélangez délicatement.

Par portion lipides 31,3 g ; 2 134 kJ

Répartissez la meringue à l'intérieur du cercle.

Superposez les meringues cuites.

Coings à la cardamome, crème au gingembre

Pour 8 personnes.

PRÉPARATION 10 MINUTES • CUISSON 2 H 10

4 coings moyens (1,3 kg), pelés
625 ml d'eau
220 g de sucre
1 c. s. de jus de citron
6 cosses de cardamome, écrasées
2 bâtons de cannelle
300 ml de crème entière
2 c. s. de gingembre en sirop, finement haché

1 Préchauffez le four à température modérée. Graissez légèrement un grand plat à gratin.

2 Coupez chaque coing en 8 morceaux que vous déposez, sans les faire se chevaucher, dans le plat à gratin.

3 Mélangez l'eau, le sucre, le jus, la cardamome et la cannelle dans une petite casserole et faites cuire à feu doux, en remuant sans cesse, jusqu'à ce que le sucre soit dissous, puis portez à ébullition et laissez mijoter 5 minutes, sans couvrir.

4 Versez le sirop encore chaud sur les coings. Couvrez et faites cuire 2 heures à four moyen, jusqu'à ce que les coings soient roses et tendres. Retournez-les à plusieurs reprises en cours de cuisson.

5 Au moment de servir, fouettez ensemble la crème et le gingembre dans un bol et présentez avec les coings.

Par portion lipides 20,9 g ; 1 633 kJ

L'ASTUCE DU CHEF

Les coings peuvent être préparés deux jours à l'avance. Ils doivent cuire assez longtemps pour obtenir une belle couleur rose. Le temps de cuisson dépendra de la maturité du fruit.

Avec le thé ou le café

Cake à l'orange

Pour 10 tranches.

PRÉPARATION 20 MINUTES • CUISSON 50 MINUTES

125 g de beurre
110 g de sucre
2 œufs
260 g de farine avec levure incorporée
125 ml de babeurre
1 c. s. de zeste d'orange, finement râpé
60 ml de jus d'orange

Sirop d'orange

250 ml de jus d'orange
110 g de sucre

1 Préchauffez le four à température modérée. Graissez un moule à cake et tapissez-le de papier sulfurisé.
2 Fouettez le beurre et le sucre jusqu'à obtention d'une pâte légère et mousseuse. Incorporez les œufs un par un, en fouettant bien entre chaque ajout.
3 Ajoutez la farine, le babeurre, le zeste et le jus de citron, puis mélangez. Versez la préparation dans le moule et faites cuire 50 minutes à four moyen, puis laissez reposer 5 minutes. Retournez le cake sur une grille et versez le sirop d'orange chaud sur le cake encore tiède.
4 Servez le cake coupé en tranches de 2 cm d'épaisseur.

Sirop d'orange Mélangez le jus et le sucre dans une petite casserole. Faites cuire à feu doux en remuant sans cesse et sans laisser bouillir, jusqu'à ce que le sucre soit dissous. Portez à ébullition, puis laissez mijoter 10 minutes, jusqu'à ce que le sirop ait légèrement épaissi.

Par portion lipides 12 g ; 1 240 kJ

Suggestion de présentation Servez chaud ou froid avec de la crème épaisse et des oranges confites.

Les astuces du chef

Préparez le sirop pendant que le cake cuit.

Vous pouvez remplacer le jus et le zeste d'orange par du citron jaune ou vert.

Ce cake se conserve trois mois au congélateur, dans un sachet plastique fermé.

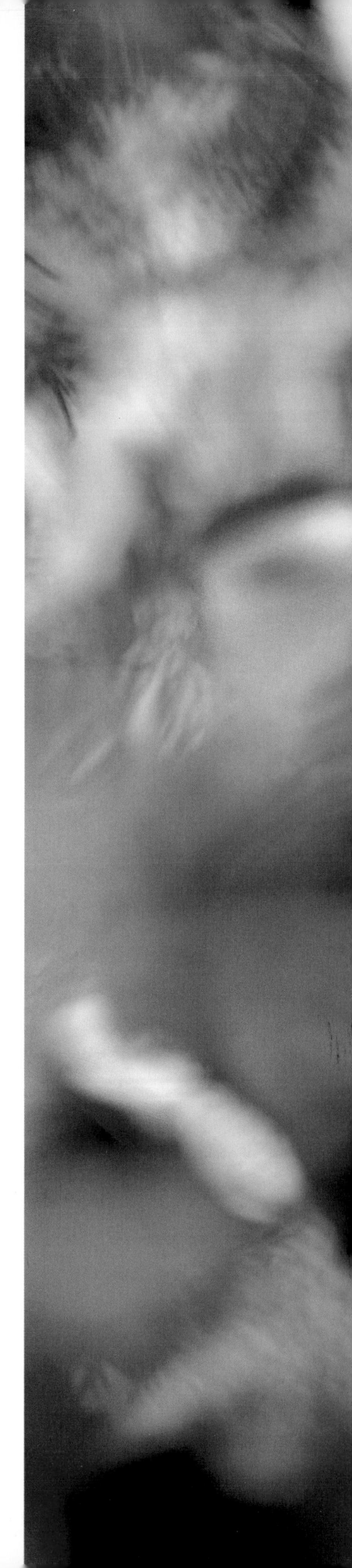

Sablés à la mandarine

Pour 30 sablés.

PRÉPARATION 15 MINUTES • CUISSON 20 MINUTES

250 g de beurre
80 g de sucre glace
2 c. s. de farine de riz
300 g de farine
2 c. s. de zeste de mandarine, finement râpé
60 ml de jus de mandarine
75 g de noix de macadamia, grillées et finement hachées
60 g de chocolat noir, fondu

1 Préchauffez le four à température moyenne.
2 Fouettez le beurre et le sucre jusqu'à obtention d'une préparation mousseuse. Versez la préparation dans un saladier et incorporez les deux farines, le zeste de citron, le jus de citron et les noix. Mélangez le tout.
3 Travaillez la pâte sur une surface farinée jusqu'à ce qu'elle soit lisse. Formez des petits rouleaux de 15 cm de long, puis déposez-les sur la plaque du four graissée et faites cuire 20 minutes à four chaud, jusqu'à ce que la pâte soit ferme. Laissez tiédir 5 minutes puis déposez les sablés sur une grille pour qu'ils refroidissent. Nappez de filets de chocolat fondu.

Par portion lipides 9,4 g ; 577 kJ

Les astuces du chef

Si la pâte est trop molle, mettez-la 10 minutes au frais avant de l'étaler.

Ces sablés peuvent se conserver une semaine dans une boîte hermétique. La pâte non cuite se conserve trois mois au congélateur.

Faire fondre du chocolat n'est pas très difficile. Il faut seulement veiller à ce qu'aucune goutte d'eau ne tombe dans la préparation (l'eau facilite la formation de grumeaux et fait perdre au chocolat sa brillance). Attention donc à ne pas couvrir le chocolat fondu car la condensation réduirait à néant tout votre travail.

Macarons au fruit de la passion

Pour 35 bouchées.

PRÉPARATION 20 MINUTES • CUISSON 30 MINUTES

1 blanc d'œuf
1/2 c. c. de vinaigre blanc
75 g de sucre
1 c. c. de sucre glace
60 ml de crème épaisse
1 c. s. de sucre glace, supplémentaire
1 c. s. de pulpe de fruit de la passion

1 Préchauffez le four à température très basse. Graissez deux plaques à four, saupoudrez-les de farine, puis secouez-les pour enlever l'excédent.
2 Fouettez le blanc d'œuf, le vinaigre et le sucre pendant 10 minutes, jusqu'à ce que le sucre soit dissous. Incorporez ensuite le sucre glace.
3 Versez la préparation dans une douille munie d'un petit bec simple. Pressez le bec et formez des petits ronds de 1,5 cm de diamètre sur les plaques à four, à 3 cm d'intervalle, puis faites-les cuire 30 minutes à four très doux. Laissez refroidir les meringues sur les plaques.
4 Versez la crème, 2 cuillerées à café de sucre glace et la pulpe de fruit de la passion dans un petit saladier, puis battez le tout au fouet électrique jusqu'à formation de petits pics à la surface.
5 Enduisez la base d'une meringue avec cette préparation, puis recouvrez avec une autre meringue et pressez fort, puis saupoudrez de sucre glace. Procédez de même avec le reste de meringues et de crème.

Par portion lipides 0,6 g ; 72 kJ

Pain aux pistaches

Pour 35 tranches.

PRÉPARATION 10 MINUTES • CUISSON 45 MINUTES

Étalez la préparation dans le moule.

Après la première cuisson, coupez le pain en tranches de 3 mm d'épaisseur.

Faites recuire les tranches jusqu'à ce qu'elles soient croquantes.

3 blancs d'œufs
75 g de sucre
1/4 de c. c. de cardamome moulue
1 c. c. de zeste d'orange, finement râpé
110 g de farine
110 g de pistaches décortiquées

1. Préchauffez le four à température moyenne. Graissez un moule à cake et tapissez-le de papier sulfurisé, en faisant déborder 2 cm de papier sur les grands côtés du moule.
2. Battez les blancs d'œufs en neige jusqu'à ce qu'ils forment de petits pics en surface. Sans cesser de fouetter, versez progressivement le sucre en le laissant se dissoudre entre chaque ajout. Ajoutez la cardamome, le zeste, la farine et les pistaches, puis mélangez. Étalez la préparation dans le moule.
3. Faites cuire 30 minutes à four moyen, jusqu'à ce que le pain soit légèrement doré. Laissez refroidir dans le moule, puis enveloppez-le dans une feuille d'aluminium et laissez reposer toute une nuit.
4. Préchauffez le four à température basse.
5. Coupez le pain en diagonale en tranches de 3 mm d'épaisseur. Disposez les tranches sur une plaque non graissée et faites cuire 15 minutes à four doux, jusqu'à ce qu'elles soient fermes et croquantes. Faites refroidir sur une grille.

Par portion lipides 1,6 g ; 158 kJ

Les astuces du chef

Le pain non tranché peut être congelé après la première cuisson.

Après la seconde cuisson, les tranches se conservent quatre jours dans un récipient hermétique.

Vous pouvez remplacer la cardamome par une demi-cuillerée à café de cannelle moulue et un quart de cuillerée à café de noix de muscade moulue.

Trempez les truffes dans le chocolat noir fondu.

Roulez-les délicatement dans la paume de la main pour bien les enrober de chocolat.

Décorez de chocolat blanc fondu.

Truffes à la noisette et au chocolat blanc

Pour 32 truffes.

PRÉPARATION 35 MINUTES • CUISSON 5 MINUTES

60 ml de crème
30 g de beurre
250 g de chocolat blanc, coupé en petits morceaux
35 g de noisettes grillées, finement hachées
2 c. s. de liqueur Frangelico (à la noisette)
200 g de chocolat noir, fondu
100 g de chocolat blanc, fondu, supplémentaires

1 Mettez la crème, le beurre et le chocolat blanc dans une casserole et faites chauffer à feu doux, en remuant sans cesse, jusqu'à ce que le chocolat soit fondu. Incorporez les noisettes et la liqueur, remuez, puis versez le mélange dans un saladier. Couvrez et réservez 1 heure au frais, en remuant de temps en temps, jusqu'à ce que le mélange se raffermisse légèrement.
2 Confectionnez des petites boules avec le mélange de chocolat, puis mettez-les au frais sur une plaque, jusqu'à ce qu'elles soient fermes.
3 Enrobez les truffes de chocolat noir fondu et laissez reposer.
4 Décorez les truffes de chocolat blanc fondu, puis réservez au frais, sans couvrir, jusqu'à ce que le chocolat soit très ferme.

Par portion lipides 7,3 g ; 495 kJ

L'ASTUCE DU CHEF

Ces truffes sont meilleures quand elles sont préparées la veille. On les conservera au frais, dans un récipient hermétique.

Moelleux aux framboises

Pour 45 gâteaux.

PRÉPARATION 15 MINUTES • CUISSON 15 MINUTES

huile
55 g de farine de noisettes
120 g de sucre glace
35 g de farine
90 g de beurre, fondu
3 blancs d'œufs, légèrement battus
100 g de framboises, environ
20 g d'amandes effilées

1 Préchauffez le four à température assez élevée. Placez les petits moules sur une plaque. Huile légèrement chaque moule.
2 Dans un saladier moyen, mélangez la farine de noisettes, le sucre glace et la farine, puis ajoutez le beurre et les blancs d'œufs. Mélangez jusqu'à ce que la préparation soit homogène.
3 Répartissez la pâte dans les moules, placez une framboise au centre et saupoudrez d'amandes. Faites cuire 15 minutes à four chaud, puis laissez refroidir sur une grille.

Par portion lipides 2,7 g ; 166 kJ

L'ASTUCE DU CHEF

Ces gâteaux se conservent trois mois au congélateur.

Plateau de fromages (aux tomates grillées, raisins de Muscat et cake aux dattes et noix de pécan)

Pour 8 personnes.

PRÉPARATION 30 MINUTES • CUISSON 40 MINUTES

Préparez un assortiment de quatre ou cinq fromages selon vos goûts. Vous pouvez par exemple ne choisir que des fromages de chèvres, plus ou moins affinés, ou que des fromages de vache en veillant à mélanger pâtes cuites (gruyère, emmenthal) et pâtes molles (brie, camembert, livarot), ou bien encore un mélange de fromages de chèvre et de fromages de vache. Décorez votre plateau avec des cerises, des myrtilles ou des baies rouges séchées.

8 tomates en grappe, moyennes (800 g), coupées en deux
55 g de cassonade
200 g de raisins de Muscat séchés

Cake aux dattes et noix de pécan

170 g de dattes séchées, dénoyautées et coupées en dés
60 g de beurre
2 c. s. de mélasse raffinée
200 g de sucre roux
180 ml d'eau
1/2 c. c. de bicarbonate de soude
2 c. c. de gingembre moulu
1 œuf, légèrement battu
50 g de noix de pécan, hachées grossièrement
300 g de farine avec levure incorporée

1 Disposez les tomates, en plaçant le côté coupé dessus, sur une plaque. Saupoudrez de sucre, puis faites griller 10 minutes au four (le sucre doit avoir dissous et les tomates légèrement fondantes).

2 Servez les tomates avec le fromage, le cake et les raisins secs.

Cake aux dattes et noix de pécan Préchauffez le four à température moyenne. Graissez un moule à pain ou à cake munis d'un couvercle. Mélangez les dattes, le beurre, la mélasse, le sucre et l'eau dans une casserole et faites cuire à feu doux, en remuant sans cesse, jusqu'à ce que le sucre soit dissous. Portez à ébullition, puis retirez du feu et laissez refroidir. Ajoutez le bicarbonate de soude, le gingembre, l'œuf, les noix et la farine, puis mélangez délicatement. Versez la préparation dans le moule et fermez ce dernier. Faites cuire 40 minutes à four moyen, puis laissez tiédir 10 minutes et démoulez le cake sur une grille pour le faire refroidir.

Par portion lipides 12,2 g ; 2 222 kJ (sans fromage)

Les astuces du chef

Utilisez une cuillère légèrement huilée pour retirer la mélasse du pot.

Ce cake se conserve trois mois au congélateur, dans un sachet plastique bien fermé.

Idées de menu

Dîner végétarien

Légumes sautés à la sauce tomate aigre-douce, *p. 25*
Raviolis aux poivrons et à la ricotta, *p. 56*
Tiramisu meringué, *p. 102*
Pain aux pistaches, *p. 109*

Quinze jours à l'avance Préparez le pain aux pistaches et conservez au congélateur.

Quatre jours à l'avance Coupez le pain aux pistaches en tranches et faites-les cuire au four. Conservez les tranches dans un récipient hermétique.

La veille Préparez la vinaigrette aux tomates, les raviolis et le tiramisu.

Trois heures à l'avance Préparez la vinaigrette à la roquette, puis couvrez d'un film étirable pour éviter qu'elle ne s'oxyde.

Une heure à l'avance Faites griller les légumes.

Dîner japonais

Rouleaux de printemps au thon et à l'avocat, *p. 30*
Soupe japonaise aux légumes et aux nouilles, *p. 47*
Sorbet de pastèque pilé et ananas au gingembre, *p. 92*

Trois jours à l'avance Préparez le sorbet de pastèque et conservez au congélateur.

La veille Préparez le bouillon de volaille pour la soupe et faites macérer l'ananas dans le sirop de gingembre.

Trois heures à l'avance Préparez les rouleaux de thon et d'avocat.

Déjeuner d'été

Pizza au prosciutto et à la ricotta, *p. 41*
Filets de poulet panés au parmesan, *p. 49*
Tomates au fromage de chèvre frais, *p. 74*
Salade de courgettes à la menthe et aux amandes, *p. 81*
Poires pochées à la vanille et aux framboises, *p. 89*
Truffes à la noisette et au chocolat blanc, *p. 110*

Quelques semaines à l'avance Émiettez le poulet et conservez au congélateur.

La veille Faites griller les noix pour les salades. Pochez les poires dans le sirop de framboises. Confectionnez les truffes.

Une heure à l'avance Préparez les pizzas. Incorporez le reste de framboises dans le sirop.

Dîner marin

Salade de poulpes marinés, *p. 43*
Risotto aux crevettes et aux asperges, p. 67
Salade de tomates tiède, *p. 77*
Glace aux abricots, *p. 90*

Trois jours à l'avance Préparez la glace aux abricots.

La veille Faites cuire les poulpes et laissez mariner une nuit. Préparez le bouillon de volaille pour le risotto et la vinaigrette au citron vert.

Trois heures à l'avance Incorporez les légumes dans la salade de poulpes.

Dîner chinois

Wontons aux crevettes, sauce aux piments doux, *p. 14*
Poulet au citron et aux nouilles fraîches, *p. 65*
Légumes verts à l'asiatique, sauce aux huîtres, *p. 78*

La veille Préparez les wontons aux crevettes, sans les cuire (à ce stade, ils peuvent être conservés trois mois au congélateur).

Une heure à l'avance Préparez les légumes et le poulet et faites cuire les wontons.

Dîner d'automne

Côtelettes d'agneau tandoori et salade de concombres, *p. 34*
Salade de lentilles aux graines de sésame et à la coriandre, *p. 76*
Plateau de fromages aux tomates grillées, raisins de Muscat et cake aux dattes et noix de pécan, *p. 112*
Meringues au fruit de la passion, *p. 107*

Deux jours à l'avance Préparez la pâte tandoori pour l'agneau.

La veille Préparez le cake aux dattes et noix de Pécan. Faites cuire les meringues et conservez-les dans un récipient hermétique, avec une feuille de papier sulfurisé entre chaque couche. Faites cuire les lentilles pour la salade. Faites mariner les côtelettes d'agneau.

Une heure à l'avance Préparez la crème de fruit de la passion et assemblez les meringues. Préparez le plateau de fromage.

Dîner marocain

Soupe aux carottes et poivrons rouges grillés, *p. 37*
Saumon grillé au pesto de pistaches et coriandre, *p. 62*
Coings à la cardamome et crème au gingembre, *p. 103*

Deux jours à l'avance Préparez le pesto pour le saumon et faites cuire les coings.

La veille Préparez la soupe.

Dîner asiatique

Assortiment de sushis, *p. 20-23*

Ailes de poulet teriyaki, ailes de poulet glacées au miel et ailes de poulet masala, *p. 16*

Crêpes à la pékinoise, *p. 19*

Légumes à la tempura, *p. 28*

La veille Préparez l'aïoli au wasabi. Faites mariner les ailes de poulet.

Trois heures à l'avance Faites les crêpes et préparez le canard. Confectionnez les sushis.

Déjeuner vite prêt

Tartine aux légumes, *p. 44*

Pappardelle aux tomates séchées et au piment, *p. 48*

Cake à l'orange, *p. 104*

La veille Préparez la sauce pour les pâtes. Faites le pain aux légumes méditerranéens et le cake à l'orange.

Dîner vite prêt

Dips à la betterave et à la feta, *p. 15*

Agneau à la marocaine, *p. 59*

Flan aux pommes et aux amandes, *p. 101*

Deux jours à l'avance Préparez les sauces et couvrez avec du film étirable.

La veille Préparez les jarrets d'agneau et faites cuire le flan aux pommes et aux amandes.

Trois heures à l'avance Préparez les crudités.

Dîner chic

Huîtres au saumon fumé, *p. 27*

Omelette de pommes de terre au chorizo et au basilic, *p. 7*

Salade de fèves aux anchois, *p. 83*

Gâteau au chocolat et aux noisettes, *p. 91*

Jusqu'à trois jours à l'avance Faites le gâteau au chocolat et aux noisettes.

La veille Préparez l'omelette et la garniture à la ricotta pour les huîtres. Préparez la vinaigrette pour la salade de fèves.

Cinq heures à l'avance Décongelez et pelez les fèves.

Dîner d'hiver

Salade verte aux pignons de pin, *p. 77*

Filets de bœuf aux oignons caramélisés et champignons à l'ail, *p. 66*

Épinards à la crème, *p. 82*

Purée de kumara, *p. 82*

Moelleux aux dattes, sauce au caramel, *p. 95*

La veille Préparez le moelleux aux dattes.

Une heure à l'avance Faites cuire les épinards à la crème et réchauffez-les au moment de servir.

Dîner indien

Samosas aux légumes, *p. 12*

Poulet masala, *p. 55*

Curry de légumes et lentilles, *p. 60*

Tarte au citron vert, *p. 96*

La veille Préparez les samosas et la sauce masala pour le poulet. Préparez le curry de légumes et de lentilles. Préparez le fond de tarte.

Trois heures à l'avance Préparez la garniture de la tarte et faites-la cuire.

Glossaire

Agneau (jarrets)
Partie inférieure de la noix et de l'épaule dont l'extrémité est dénuée de tendons et de gras.

Betterave
Plante à racine charnue, ronde et rouge. Elle se consomme crue et râpée en salade ou cuite, à l'eau ou au four à micro-ondes, puis réduite en purée.

Beurre
Utilisez du beurre salé ou doux (non salé) ; 125 g correspondent à une demi-plaque de beurre.

Bouillon
Une tasse (250 ml) de bouillon équivaut à une tasse (250 ml) d'eau additionnée d'un cube de bouillon émietté (ou 1 cuillère à thé de bouillon en poudre). Si vous préférez utiliser un bouillon maison, reportez-vous aux recettes page 117.

Boulgour
Grains de blé décortiqués et cuits à la vapeur. Une fois secs, ils sont broyés selon différentes tailles. Très utilisé dans la cuisine du Moyen-Orient.

Broccolini
Ce légume est plus tendre et plus doux que le brocoli ordinaire. Il se consomme en entier, de la tige à la fleur, et dégage une saveur délicate et subtile, légèrement poivrée.

Chorizo
Saucisse d'origine espagnole, très épicée, à base de porc grossièrement haché, d'ail et de poivrons rouges.

Ciabatta
Pain italien de forme ovale et croustillant ; cuit au feu de bois.

Concombre libanais
Long, fin, avec une peau fine, cette variété est plus digeste que le concombre ordinaire.

Coriandre
Aussi appelée persil arabe ou chinois, cette plante a des feuilles vert vif et un goût piquant.

Couscous
Semoule à grains fins, originaire d'Afrique du Nord. Confectionnée avec de la semoule roulée en boules.

Daikon
D'origine asiatique, ce grand radis a un goût frais et doux. Au Japon, il est râpé et consommé cru comme garniture.

Mariné Ce radis japonais se vend mariné dans du vinaigre et de l'acide citrique. Se consomme avec du poisson cru et en salade.

Pousses Les jeunes pousses de daikon sont souvent utilisées comme garniture et pour donner un goût sucré aux salades.

Farine
Avec levure incorporé Farine blanche dans laquelle la levure est déjà incorporée, à raison de deux cuillères à thé par tasse de farine.

Blanche Farine à base de blé, utilisée pour toutes sortes de plats.

De maïs Maïs séché et moulu, semblable à la polenta mais en moins fin.

De noisettes Également appelée « noisettes moulues », elle est faite avec des noisettes réduites en poudre, et sa texture rappelle la farine traditionnelle. Utilisée en pâtisserie et pour épaissir une préparation.

De riz Farine très fine à base de riz blanc moulu.

Fenouil
Plante herbacée au goût anisé dont on utilise également les graines pour donner un parfum de réglisse aux mets cuisinés.

Fèves
Disponibles fraîches, sèches, en boîtes ou congelées. Elles sont meilleures lorsqu'elles ont été pelées deux fois (après avoir retiré la longue cosse, puis la peau intérieure, qui est dure et de couleur verte).

Fromage
Bocconcini Sous forme de petites boules de la taille d'une bouchée, voisin de la mozzarella, ce fromage blanc est moelleux et de goût subtil.

Feta Fromage de brebis, d'origine grecque, dur et friable, au goût très fort.

Haloumi Fromage frais de brebis, vieilli dans la saumure, idéal gratiné ou frit rapidement.

Mascarpone Fromage à base de crème très épaisse, goût légèrement doux. Très utilisé dans les desserts italiens.

Romano Fromage dur, de couleur jaune paille, à la texture granuleuse et au goût prononcé et piquant.

Garam masala
Mélange d'épices de l'Inde du Nord, à base de cardamome, de cannelle, de clous de girofle, de coriandre, de fenouil et de cumin, grillés et moulus ensemble.

Hoisin (sauce)
Sauce chinoise, brune épaisse, à la fois épicée et sucrée, préparée avec des haricots de soja, de la farine de blé, du vinaigre, du piment, du sel, de l'ail et du sésame.

Kumara
Nom polynésien qui désigne une espèce de patate douce à chair orangée.

Légumes asiatiques
Le même légume peut porter des noms différents.

Bok choy Aussi appelé bak choy, pak choi, chou chinois blanc ou bette chinoise. Son goût est frais, légèrement moutardé. Utilisez les tiges et les feuilles.

Tat soy Aussi appelée bok choy rosé ou chou chinois plat, cette variété de bok choy est cultivée près du sol pour la protéger du gel.

Lard
Poitrine de porc maigre, coupé dans le quartier de porc, salé, fumé et coupé en tranches. La partie striée de la tranche est la plus grasse.

Menthe vietnamienne
Cette plante aux feuilles pointues a un goût prononcé. Elle est aussi appelée laksa et s'utilise beaucoup dans les soupes et salades asiatiques.

Mesclun
Assortiment de salades et de jeunes pousses, comme la laitue, le mizuna, les jeunes feuilles d'épinards, la roquette, l'endive frisée.

Mirin
Vin de riz doux, peu alcoolisé, utilisé dans la cuisine japonaise. À ne pas confondre avec le saké, qui se boit.

Mizuna
Salade verte japonaise aux feuilles grandes avec un léger goût de moutarde, souvent utilisée dans le mesclun.

Nori
Algue large et plate, vendue en feuilles séchées ; elle est utilisée dans la cuisine japonaise comme assaisonnement, en garniture et pour confectionner les sushis.

Oignon
Ciboule En fait, une variété d'ail. Ses feuilles creuses se consomment aussi crues.

De printemps Bulbe blanc, relativement doux aux longues feuilles vertes et croustillantes.

Rouge Également appelé oignon espagnol. Plus doux que l'oignon blanc ou jaune, il est particulièrement délicieux cru dans les salades.

Vert Oignon cueilli avant la formation du bulbe, dont on mange la tige verte ; à ne pas confondre avec l'échalote.

Olive niçoise
Petite, ovale et de couleur marron-noir, elle se distingue par son fort goût de noix. Elle est cultivée dans les terres arides et montagneuses de la Provence, en France. Elle peut être remplacée par n'importe quelle petite olive brune.

Piments
Banana Piment doux de forme longue et fuselée. Vous pouvez le rempalcer par un poivron.

Hollandais Piment frais assez long, moyennement fort, au parfum relevé.

Japaleño On les trouve frais ou en conserve, conservés entiers dans la saumure. Dans nos recettes, nous utilisons le piment en conserve, haché, au goût moyen-fort et à peine sucré.

Sauce douce aux piments Relativement douce, cette sauce thaïlandaise est faite à partir de piments rouges, de sucre, d'ail et de vinaigre blanc.

Poires
Beurre Bosc Poire juteuse et douce, très pointue, avec une peau brun-vert qui devient couleur cannelle lorsqu'elle est mûre. Idéale pour la cuisson.

Corella Petite poire à la peau vert tendre et veinée de rouge et de jaune doré. Sa saveur juteuse et délicieuse en fait une poire très appréciée pour accompagner les plateaux de fromage.

Nashi Fruit du Japon qui a la forme d'une pomme,

la consistance et la saveur d'une poire. On peut le remplacer par l'un ou l'autre de ces fruits.

Polenta
Semoule de maïs et plat italien célèbre préparé avec cette semoule.

Pois chiche
Ce légume rond irrégulier, de couleur sable, est très courant dans la cuisine méditerranéenne et indienne.

Pois gourmand
Ou haricot mange-tout, dont la cosse est garnie de petits pois.
Il se mange entier, cru ou cuit.

Poivron
Les pépins et les pédoncules doivent être retirés avant toute préparation.

Potimarron
Courge de la famille du potiron, qui présente un goût prononcé de châtaigne.

Riz
Arbori Riz à grains ronds qui absorbe bien le liquide. Idéal pour le risotto.

Basmati Riz à grains longs et blancs au goût très parfumé, utilisé pour la cuisine indienne.

Au jasmin Riz à longs grains, très aromatique.

Calrose Riz à grains moyens.

À longs grains Son grain particulièrement long l'empêche de coller au cours de la cuisson.

Feuille de riz Faite avec de la pâte de riz. On la plonge dans l'eau chaude pour la ramollir avant d'en envelopper divers ingrédients, comme les rouleaux de printemps.

Roquette
Aussi appelée rucola. Cette salade aux feuilles vertes et au goût poivré s'utilise comme les jeunes feuilles d'épinards.

Teriyaki
Sauce à base de saucce de soja, sirop de maïs, vinaigre, gingembre et épices variés ; donne une brillance caractéristique aux viandes grillées.

Nashi
Beurre Bosc
Corella

Préparer votre bouillon maison

Ces recettes peuvent être préparées quatre jours à l'avance et conservées, à couvert, au réfrigérateur. Enlevez la graisse en surface quand vous sortez le bouillon refroidi. Pour le conserver plus longtemps, congelez-le dans plusieurs petits récipients.

On peut aussi se procurer du bouillon en boîte et en berlingots, ou bien en utiliser en cubes ou en poudre. Sachez qu'une cuillérée à thé de bouillon en poudre ou un petit cube écrasé mélangé à 250 ml d'eau donnera un bouillon relativement fort. Prenez garde au sel et aux graisses contenus dans ces préparations toutes faites.

Toutes les recettes de bouillon figurant ci-dessous donnent environ 2,5 litres.

Bouillon de bœuf

2 kg d'os de bœuf garnis de viande
2 oignons moyens (300 g)
2 branches de céleri, émincées
2 carottes moyennes (250 g), tranchées
3 feuilles de laurier
2 c. c. de poivre noir
5 l d'eau
3 l d'eau, supplémentaires

Mettez les os et les oignons hachés non pelés dans un plat allant au four. Faites cuire à four chaud 1 heure environ, ou jusqu'à ce que os et oignons soient bien brunis. Transférez-les dans une grande casserole, ajoutez le céleri, les carottes, les feuilles de laurier, le poivre et l'eau. Laissez mijoter, sans couvrir, 3 heures. Ajoutez le reste de l'eau, faites frémir encore 1 heure sans couvrir. Passez.

Bouillon de poule

2 kg d'os de poulet
2 oignons moyens (300 g), émincés
2 branches de céleri, tranchées finement
2 carottes moyennes (250 g), tranchées finement
3 feuilles de laurier
2 c. c. de poivre noir
5 l d'eau

Mélangez tous les ingrédients dans une grande casserole. Laissez mijoter, sans couvrir, 2 heures. Passez.

Bouillon de poisson

1,5 kg d'arêtes de poisson
3 l d'eau
1 oignon moyen, émincé
2 branches de céleri, tranchées finement
2 feuilles de laurier
1 c. c. de poivre

Mélangez tous les ingrédients dans une grande casserole. Laissez mijoter, sans couvrir, 20 minutes. Passez.

Bouillon de légumes

2 grosses carottes (360 g), tranchées
2 gros navets (360 g), tranchés
4 oignons moyens (600 g), tranchés
12 branches de céleri, tranchés
4 feuilles de laurier
2 c. c. de poivre noir
6 l d'eau

Mélangez tous les ingrédients dans une grande casserole. Faites mijoter, sans couvrir, 1 h 30. Passez.

Index

• MARABOUT CHEF •

Traduction et adaptation de l'anglais par :
Francine Rey et Élisabeth Boyer

Packaging :
Domino

Relecture :
Aliénor Lauer

Marabout
43, quai de Grenelle – 75905 Paris Cedex 15

Publié pour la première fois en Australie
en 2000 sous le titre :
Cookind for friends

Dépôt légal n° 13525 / Septembre 2001
ISBN : 2501036670
(NUART : 4033429)

Imprimé en Espagne par
Gráficas Estella.